Biblioteca básica de Historia

Biblioteca básica de Historia

Biblioteca básica de Historia

Biblioteca básica de Historia

Biblioteca básica de Historia

Biblioteca básica de Historia

Biblioteca b

La Revolución Francesa

La Revolución Francesa
Biblioteca Básica de Historia

© **Dastin Export, S.L.**
Polígono Industrial Európolis, calle M, núm 9
28230 Las Rozas (Madrid) - España
Tel. (+) 34 916 375 254
Fax: (+) 34 916 361 256
e-mail: dastinexport@dastin.es
www.dastin.es

Dirección Editorial: Raul Gómez
Edición y Producción: José Mª Fernández
Coordinación Editorial: Ediproyectos Europeos, S.L.
Diseño de colección: Enrique Ortega

ISBN: 84-96249-87-5
Depósito legal: M-40.158-2004

Impreso en España / Printed in Spain

La Revolución Francesa

Motín popular en el París de la Revolución, detalle

Causas y protagonistas

ANTONIO VILADEMUNT
Seminario de Estudios sobre la Revolución Francesa.
Universidad Autónoma de Barcelona

Los hechos acontecidos en Francia a partir del verano de 1789, y por espacio de unos años, hasta el advenimiento de Napoleón al poder, constituyen uno de los episodios con más influencia en nuestra historia reciente. Por su misma transcendencia, la Revolución Francesa ha sido sujeto apasionante en multitud de enfoques y valoraciones diversas por parte de muchos historiadores que se han consagrado a su estudio. Aunque no menor ha sido el esfuerzo en descifrar el conocimiento y significado de los acontecimientos que conformaron el proceso revolucionario. A la descripción de sus causas, protagonistas y, especialmente, a su obra, hasta la caída de la Monarquía en agosto de 1792, se dedican las siguientes páginas. Antes, en la medida que es necesario conocer cuál era la situación económica, política y social en Francia, se procederá a una breve síntesis sobre sus elementos explicativos.

La Revolución tuvo lugar en una Francia de unos 26 millones de habitantes, de los cuales casi el 80 por 100 eran campesinos. El reparto general de la población era muy desigual, sobresaliendo la ciudad de París con más de 600.000 personas, así como algunas ciudades portuarias –Burdeos o Marsella– y algunos centros

Luis XVI con gorro frigio brinda a la salud de la Nación, París, Museo Carnavalet

manufactureros –Reims o Lyon– que eran también poblados núcleos urbanos.

El régimen político vigente a lo largo del siglo XVIII era la monarquía absoluta, con Luis XVI como jefe de Estado en los años de la Revolución. El rey basaba las directrices de su política en la doctrina del despotismo ilustrado, de tradición borbónica, que había permitido concentrar en manos de la Corona la casi exclusividad del poder, en detrimento de los antiguos representantes de la nación (de hecho, no se reunían Cortes desde 1614).

El predominio social y económico correspondía a los propietarios de bienes raíces y poseedores de derechos señoriales sobre la población campesina. Éstos eran los componentes de la nobleza y las altas jerarquías eclesiásticas (aristocracia) que, en conjunto, poseían más del 60 por 100 de la tierra, además de ocupar la práctica totalidad de los altos cargos del Gobierno, municipalidades y administración y de estar exentos de cualquier carga fiscal. Sus ventajas tributarias y su particular método de extracción de la renta campesina a través de concesiones y derechos otorgados por el Estado, a la vez que les permitía absorber los excedentes de producción en beneficio propio, ligaba su suerte a la del régimen que se lo proporcionaba. Mientras, en el otro extremo se encontraban las masas campesinas sometidas a unas duras contribuciones, tanto a nivel impositivo (Estado) como contractual (propietarios), que las mantenían al borde del hambre, sin recursos con los que hacer frente a las fluctuaciones del volumen de la cosecha, de la que dependían totalmente para su subsistencia.

Por otro lado, en el mundo urbano –y tomando como ejemplo París– la burguesía era el grupo propietario de los comercios, fábricas y grandes talleres artesanales, constituyendo –en sentido amplio, y siempre referido a la capital– un tercio de la población. Este grupo, que a lo largo del siglo había ido abriéndose camino en el campo de la actividad comercial y manufacturera, se encontraba con que las posibilidades de ascenso social en una sociedad reglamentada sobre la base del privilegio eran muy escasas (únicamente a través de la compra de tierras y posterior ennoblecimiento) y de ningún modo cubrían sus necesidades; toda vez que su peso económico no se correspondía en absoluto con el papel político que el régimen le otorgaba, lo cual estará en la base de las tensiones y hostilidades que la Revolución evidenciará.

El resto de la población urbana lo forma el llamado *menu peuple* (el pueblo bajo), que constituía una mescolanza de grupos socioprofesionales diferentes: los artesanos independientes, que poblaban los arrabales periféricos de París; los artesanos dependientes, sujetos plenamente a la disciplina y normativa gremiales; los asalariados que trabajaban en las manufacturas del centro de la ciudad –una gran parte de ellos sólo acudía a la fábrica a entregar el producto que elaboraba en su propio domicilio– y los empleados en los comercios. Al margen de estos grupos quedaban únicamente los ocupados en tareas marginales, de muy baja consideración social, y que se encontraban a un paso de la mendicidad o la delincuencia, no teniendo normalmente una residencia fija en la ciudad y nutriéndose, las más de las veces, de vagabundos y desarraigados del ámbito rural.

Este régimen, por sus propias características heredadas, arrastraba dentro de sí unas limitaciones claras en su posible eficacia administrativa: al quedar libres de impuestos quienes acumulaban los beneficios agrícolas, impedían que su máxima actividad económica aportara ingresos al Estado, con lo que los impuestos se concentraban en las actividades comerciales, industriales, y sobre las masas campesinas empobrecidas, que poco podían aportar a la demanda del mercado interior en aquellas condiciones. La situación empeoraba aún más cuando una sucesión de años de malas cosechas limitaba al máximo la manutención de las capas populares, ahogando con ello cualquier actividad económica. Las tensiones y enfrentamientos entre estos grupos por los motivos que hemos ido apuntando, así como los intentos de la Monarquía por salir de su déficit financiero permanente estarán en la base del conflicto y acción revolucionaria que se desarrollarán a partir de 1789.

1789: El año de la ruptura

El malestar social y las tensiones existentes en el campo y las ciudades favorecerán el apoyo de las masas populares a sus representantes en las Cortes. Éstos, a su vez, transmitirán a la nación los objetivos y empuje del grupo burgués, formulándose así una unidad de acción revolucionaria frente al inmovilismo del grupo privilegiado y el anacronismo de un régimen en crisis. Ahora bien, cada uno de los elementos (burguesía, campesinado, *menu peuple* urbano) manifestará un método de lucha propio, así como una problemática y objetivos diferenciados que permiten desglosar la acción revolucionaria en tres vertientes distintas en contenido, aunque simultáneas en el tiempo e interrelacionadas en un mismo proceso.

La toma de La Bastilla y los demás sucesos revolucionarios de julio en París impulsarán un recrudecimiento de la actitud campesina en la segunda quincena del mes. El temor a la represión estatal y señorial por tales actos subversivos propiciará una situación de pánico y violencia entre las masas campesinas, cuya agresividad, acentuada por la dureza de la crisis, estallará en forma de insurrección desenfrenada contra aquellos que considera sus

enemigos. Esta reacción, de carácter eminentemente defensivo, asociaba la tesis del complot aristocrático con el temor al pillaje por parte de los muchos vagabundos que la crisis había hecho abundar, y que constituían un elemento fácilmente utilizable por los señores como arma para su causa. En aquel ambiente propicio al pánico, las noticias o los rumores de la formación y avance de ejércitos a las órdenes de los señores, o de partidas de bandidos, levantaron en pie de guerra multitudinarias concentraciones de campesinos por

Batalla de la toma de La Bastilla, detalle de un grabado, París, Museo Carnavalet

buena parte del país, en las jornadas llamadas del *Gran Miedo*.

En otros casos, los campesinos optan por negarse al pago de los impuestos prefiriendo una resistencia pasiva a una acción violenta. De todas formas, ambas actitudes se complementan e intensifican al mismo tiempo en el verano de 1789. Esta negativa no se refiere únicamente a las cargas típicamente feudales, sino que se complementa con las demandas encaminadas a la supresión de los tribunales señoriales (donde los derechos jurisdiccionales eran ratificados y se promulgaba la justicia señorial), así como con los actos de quema de títulos, con lo que se esperaba acabar con la legitimación oficial de pago de unas contribuciones consideradas injustas. A través de una u otra forma, en unos meses, en la práctica totalidad del país se había visto subvertido el viejo régimen. La ofensiva campesina había precedido la actuación de las nuevas autoridades salidas de los Estados Generales, obligándolas a que se elaborasen unas nuevas disposiciones legales. Éstas toman forma de decreto ley en la famosa noche del 4 de agosto, en la que, de manera oficial, eran abolidos los privilegios y cargas feudales de tipo jurídico.

El mismo clima de agresividad y tensión que existía en el campo en los momentos previos a la Revolución, se daba también en el ámbito urbano, fruto de las mismas causas de hambre y carestía de los alimentos. La exteriorización de este malestar bajo la fórmula de tumultos había aparecido otras veces en momentos de crisis económica a lo largo del siglo XVIII en Francia, pero en el contexto de agitación y politización de la sociedad que se estaba viviendo (y sobre todo en la capital) estas acciones populares tendrán una repercusión sin precedentes.

La toma de La Bastilla

Los actos más significativos son el asalto del Hôtel des Invalides, y sobre todo la toma de La Bastilla el día 14 de julio, que constituyen el episodio revolucionario de mayor transcendencia, así como el ataque al símbolo más significativo del viejo régimen. En el asalto tomarán parte gentes procedentes de todos los barrios de la ciudad aunque el predominio sea de los llegados de los cercanos arrabales de St. Antoine y St. Marcel, pertenecientes en su mayor parte al *menu peuple* parisino. Su objetivo era conseguir la pólvora que se suponía en abundancia en la vieja fortaleza defensiva; a la vez se quería inutilizar su artillería para su uso intimidatorio o represivo (su emplazamiento permitía dominar el acceso a la ciudad desde los arrabales). Al margen del suceso en sí, la caída de La Bastilla significó la señal para el inicio de la revuelta municipal y el recrudecimiento de las insurrecciones campesinas. La Revolución se puso en marcha en todo el país, tomando una nueva dimensión y unas nuevas perspectivas.

Pero, antes de seguir con los acontecimientos, es necesario referirse a la composición social del *menu peuple*, para poder comprender sus motivaciones e impulsos en el curso del proceso revolucionario. Básicamente en las *journées* se repiten los mismos integrantes que, *grosso modo*, corresponden al mundo del trabajo de la época: predominio del grupo artesanal, donde se engloban los pequeños maestros propietarios, los oficiales y los aprendices de oficio. De no menor importancia en cuanto a efectivos movilizados es el grupo de los comerciantes detallistas y sus dependientes, que con el anterior grupo forman el universo básico del sector tradicional del trabajo (gente de *l'echoppe et la boutique*, del tenderete y la tienda), el cual conformará el grupo de presión más importante en determinados sectores de la ciudad (arrabales periféricos, donde la manufactura y la burguesía eran más escasas en efectivos) y el núcleo central del movimiento *sans-culotte*, que será quien, posteriormente, dé forma y contenido político a la actuación del *menu peuple*. En tercer lugar, también hay que mencionar el sector de los asalariados, empleados en las manufacturas, que con menor numero y peso social están presentes en todos los actos revolucionarios.

Por su misma composición social diferenciada, su localización dentro de la geografía urbana en la ciudad donde vivía en deficientes condiciones y hacinado en pequeñas viviendas, en medio de estrechas calles muy poco higiénicas, y sus limitados e insuficientes recursos, que le sumergían en un estado de semimiseria y hambre, el *menu peuple* constituía una mescolanza de grupos socioprofesionales diferentes pero con una identidad cultural y material visible, fácilmente identificable frente a los grupos privilegiados o burgueses (mercaderes y grandes comerciantes así como amos de grandes talleres o empresarios de manufacturas). Sin llegar, no obstante, a constituir una verdadera clase social, ni una conciencia propia y diferenciada de las ideas de la pequeña burguesía (profesionales liberales publicistas, pequeños propietarios) de quien asimila y recoge muchas de sus consignas. Mescolanza y diversidad de formas que no impiden desarrollar un sentimiento común de odio hacia aquellos que atenían contra el derecho primordial del hombre: el de su existencia, que se identificará y visualizará en las figuras del especulador y del acaparador. Así, en la raíz del enfrentamiento se encuentra una oposición rico-pobre en la que no es la propiedad lo que se discute, sino la propia subsistencia.

La arrogancia de los realistas (notables residentes en la Corte) al atreverse a celebrar fastuosos banquetes en Versalles, mientras el pueblo pasaba hambre, facilitó la verosimilitud de la idea de corrupción alrededor del monarca en la conciencia popular. Finalmente, el día 5 de octubre, un numeroso grupo de mujeres, provenientes del arrabal de St. Antoine, converge en el Hôtel de Ville en petición de pan, armas y municiones para sus maridos, a la vez que reclama que la Guardia Nacional las escolte a Versalles. El objetivo es emplazar al rey bajo la vigilancia de la Asamblea Nacional y de los distritos. El jefe de la Guardia, La Fayette, accede a la última petición, trasladándose con el cortejo de mujeres y sus guardias a Versalles, donde consiguen, no sin algunos incidentes con la Guardia Real, que el rey acceda a sus peticiones y vaya con ellas a París al día siguiente.

Las jornadas de octubre marcan un punto de inflexión en la trayectoria del movimiento popular. La alegría por el éxito y la esperanza de una pronta mejora de su situación son aprovechadas por la Asamblea

Escena del París de la Revolución, en *Historia de Europa*, de E. Castelar

Nacional para apaciguar la energía insurreccional y
tomar medidas de control social. Para conseguir esto y
resolver la crisis de subsistencias, el Estado cuenta con la
aportación de la buena cosecha de 1790, que permite el
abastecimiento popular de harina y una estabilización de
la inflación. La paz social parece ahora posible al
desaparecer, en parte, los factores causantes de la
movilización popular.

No obstante, las principales medidas del Nuevo Régimen no se producirán hasta el siguiente mes de agosto con las disposiciones para la abolición jurídica del feudalismo el día 4, la aprobación de los decretos sobre la libertad de expresión y de prensa y la votación de la Declaración de Derechos del Hombre y del Ciudadano el día 26. Sobre el significado de esta última, hay que decir que en ella se recogen los postulados básicos por los que se iba a regir la normativa social y política del Nuevo Régimen, que tres semanas antes había terminado con los privilegios de naturaleza jurídica y ahora equiparaba al conjunto de sus ciudadanos bajo un mismo trato de igualdad ante la ley, que la Constitución de 1791 sancionaría.

Una vez formulados los principios básicos del Nuevo Régimen, era necesario controlar el peso de la Monarquía y el de la presión popular si se quería consolidar la obra burguesa. Sobre esto último, ya explicamos cómo se intentó canalizar su agresividad y empuje en favor de sus pretensiones políticas así como el freno que supuso para la lucha social el mejor abastecimiento de trigo en el mercado con la buena cosecha (la primera después del estallido revolucionario).

Estaba pendiente además, en el ánimo de todos, la necesidad de encontrar una rápida solución al problema financiero Para ello sí hubo acuerdo en poner a disposición de la nación los bienes del clero; así como la creación del *asignado*, papel moneda garantizado por la venta de los bienes nacionales (disposiciones que entran en vigor a partir del 2 de noviembre y 14 de diciembre, respectivamente). Medidas revolucionarias que buscarán solucionar la falta de liquidez de una hacienda que había acelerado en buena parte la descomposición del régimen anterior, y cuyos resultados trataremos más adelante.

Paralelamente a la discusión de los primeros decretos de la Asamblea Constituyente y de las insurrecciones campesinas por todo el país, en la segunda quincena de julio se asiste a la otra gran consecuencia de las jornadas de julio: la revolución municipal. Con el derrocamiento de las antiguas autoridades locales se iba completando el proceso de destitución de los viejos poderes en manos de la aristocracia. La agitación y el cambio serán comunes a todo el país, lo mismo que en la capital. El hecho de que la renuncia de las autoridades y precedentes sea generalmente voluntaria y que el ejército no intervenga evitarán un estallido de violencia. Desde un primer momento, muchas ciudades tomarán el ejemplo de París, convirtiéndose en comunas independientes de poder local, fieles a las leyes y autoridades del Nuevo Régimen presidido por la Asamblea Nacional. En el caso de París, los anteriores 14 barrios en que se dividía la ciudad son transformados ahora en 60 distritos electorales, cuyos electores tendrán que presentar garantías de capacidad intelectual, de acatamiento al orden y a la propiedad y de solvencia económica.

Los elegidos, pertenecientes a la alta y media burguesía mostrarán, desde el inicio, una decidida pretensión de autonomía respecto al órgano central de la Comuna, en un afán de mantener el poder constituyente y legislativo en tanto que representantes directos del pueblo. Su lucha por un gobierno directo expresaba las enseñanzas de Rousseau sobre cómo la soberanía no debe limitarse al consentimiento, sino a la elaboración de leyes y al ejercicio directo del poder, para evitar así la formación de nuevas oligarquías municipales, parecidas a las que la Revolución acababa de derrotar.

Última despedida de Luis XVI a su familia, Burdeos, M. Artes Decorativas

La Asamblea Constituyente

Desde su constitución el 9 de julio hasta su disolución el 30 de septiembre de 1791, la Asamblea Constituyente se esforzó en la realización y puesta en práctica de los nuevos principios liberales asumidos por la burguesía y las capas más progresistas de la aristocracia francesa. Su obra acabará con los privilegios y desigualdades jurídicas en favor de la igualdad de oportunidades y la libertad de la persona (extensible a la libertad de conciencia, opinión, expresión, de empresa y de trabajo) que se recogen en el principio de soberanía de la nación. Su codificación en la Declaración de Derechos del Hombre y del Ciudadano, y su explicitación en las nuevas formas de conducta (principio electivo de los representantes del pueblo, separación de poderes...) forjarán las bases de la sociedad liberal contemporánea.

Por otro lado, el respeto a la propiedad y al dominio de la riqueza, así como la separación de la Iglesia y el Estado mostrarán las ansias de afirmación del protagonista burgués en el Nuevo Régimen, que se estaba edificando a su medida.

En el nuevo organigrama político el rey asume plenamente la jefatura del Ejecutivo y la dirección de la diplomacia, mientras que la Asamblea goza de poder absoluto en materia fiscal y financiera, compartiendo con el monarca su autoridad en los demás terrenos (en los cuales el rey podrá ejercer su derecho a veto).

Por otro lado, hay que decir que las reformas en el Decreto habían conseguido un mayor grado de suavización y flexibilización de la justicia; toda vez que un doble proceso de centralización y racionalidad se había impuesto en la Administración local, en la cual la burguesía acapara la práctica totalidad de los nuevos cargos, lo que permite una disminución del poder central en los nuevos entes locales.

La nueva clase política se nutría de hombres de leyes y especialistas en el campo administrativo, que ya ocupaban cargos públicos en el anterior régimen y que, por tanto, eran viejos conocidos de los votantes. Entre ellos, el sector más activo lo formaban los abogados jóvenes de condición media, que, como Robespierre, se sentían superiores intelectualmente y soportaban mal la jerarquía del viejo régimen que les dificultaba su promoción profesional y el ascenso social. Recién salidos a la palestra política en calidad de representantes del Tercer Estado, configuraban el partido mayoritario en la Asamblea –Partido Patriótico–, donde también se habían introducido algunos de los elementos más ilustrados de los antiguos privilegiados –caso de La Fayette– así como la élite burguesa de la riqueza y el talento –Bailly, que será alcalde de París–.

Estos últimos constituían el sector llamado de los Constitucionales, cuyo objetivo prioritario era la estabilización de la Monarquía sin renunciar a las conquistas revolucionarias.

Dentro del Partido se podían distinguir aún dos grupos más: el formado en torno a Barnave, crítico con la voluntad de compromiso de los Constitucionales, pero también moderado en sus aspiraciones sociales, y el de los Demócratas, donde sobresalía la figura de Robespierre y en el que se comienza a apreciar una tarea de defensa de los derechos del pueblo, así como una apuesta por la práctica popular de la democracia. Frente a ellos permanecían aquellos representantes del viejo orden que se resistían a verlo finalizar (antiguos representantes de la nobleza y del clero, que no tuvieron otro remedio que aceptar las oportunidades de representación política que les ofrecía la Asamblea Nacional. A pesar de estar en contra de su formación y significado). Eran los llamados Aristócratas, divididos en dos facciones: los Negros y los Monárquicos. Ambos propugnaban un rechazo a la Revolución, pero éste era de diferente intensidad: la intransigencia y defensa de las prerrogativas reales a toda costa era contrarrestada en los segundos por un contenido más liberal en sus pretensiones.

Fue el grupo de La Fayette el primero en ocupar el poder, influyendo decisivamente su líder en el monarca y en los sectores más poderosos del país a la vez que se ganaba el respeto y el entusiasmo popular por su aureola de general victorioso en la Guerra de la Independencia norteamericana (el *Héroe de los dos mundos*). No obstante, con el tiempo su fama se desvanecería al conocerse la verdad sobre sus intrigas palaciegas con la reina para un pronto restablecimiento del régimen anterior toda vez que su condición de jefe de la Guardia Nacional comprometió su persona con los trágicos sucesos de represión popular. Le sucedió el grupo de Barnave, quien intentó fijar los límites de la Revolución para evitar un proceso de radicalización, apostando por un Gobierno fuerte y estable que detuviera el ímpetu revolucionario sin tener que renunciar a las conquistas burguesas.

El rey, a instancias de La Fayette, aparece en el balcón, grabado

La Asamblea Legislativa

El 1 de octubre de 1791, un día después de la separación de la Asamblea Constituyente, se reunía la nueva Asamblea Legislativa. Su nacimiento se correspondía en el tiempo con la aparición de la crisis económica y el inicio de un doble proceso de radicalización política y social, que culminaría con la entrada de la nación en guerra contra las potencias absolutistas de Europa y la caída de la Monarquía.

Radicalización de la sociedad

Varios son los factores que explican el recrudecimiento del malestar social en el campo: la devaluación del *asignado*, que el Gobierno se había empeñado en impulsar como moneda de cambio en sustitución de la anterior, comportó la negativa de los agricultores a vender sus productos en el mercado, y ocasionó una escasez de alimentos que tuvo como respuesta la práctica de requisas acompañadas de una previa tasación de los granos (lo que atentaba contra los principios de liberalización económica del régimen). Por otro lado, la especulación y acaparamiento de cereales practicado por algunos grandes señores, a quienes se asociaba con prácticas contrarrevolucionarias de conspiración e intriga, incitaron de nuevo a la movilización violenta contra los que se consideraban vestigios del Antiguo Régimen. Por último, se fue consolidando una insistente presión para la obtención de nuevas tierras, así como una resistencia, cada vez mayor, al pago de las rentas, debido fundamentalmente a la disminución del nivel de subsistencias en la economía familiar campesina.

Todo ello llevó a la reaparición de las *jacqueries* en el campo francés, a partir, sobre todo, de febrero de 1792, que tomaron un marcado carácter político y patriótico al ir dirigidas contra los agentes de la contrarrevolución y protagonistas de prácticas fraudulentas hacia la gran masa de consumidores y pequeños propietarios. Del mismo modo que la negativa a la obligación de redimir los pagos para la obtención de las tierras se generalizó cada vez más, alimentando una resistencia pasiva tan eficaz como los tumultos. Ante esta situación la Asam-blea Legislativa no tuvo más remedio que legitimar las pretensiones campesinas, cambiando el rumbo de su política agraria.

Por su parte, la agitación y efervescencia revolucionaria del *menu peuple* urbano vuelve a resurgir después de año y medio de aparente calma. El 20 de junio de 1791 la vigilancia y el celo revolucionario del pueblo francés consigue abortar el intento de huida de Luis XVI, que es detenido en el pequeño pueblo de Varennes, cerca de la frontera. Este hecho marca el final de una etapa de esperanza en la justicia real, abierta con la marcha del rey de Versalles y su adhesión al Nuevo Régimen. Sus intrigas y falsas promesas a la causa de la Revolución quedaban ahora refrendadas de manera clara. Un mes más tarde, una manifestación pacífica en el Campo de Marte, con participación de todos los sectores del *menu peuple* parisino, en petición de cambios en el Gobierno, es violentamente reprimida por más de 10.000 guardias nacionales. La intransigencia de los sectores

Declaración de los Derechos del Hombre y del Ciudadano

más moderados de la burguesía en el poder hacia las reivindicaciones sociales impide el consenso social que la Constituyente había proclamado, dejando en evidencia las posturas de los políticos como La Fayette, tan carismáticos tiempo atrás. Estos hechos marcarán además el distanciamiento y ruptura de las facciones burguesas de talante más democrático respecto a las más conservadoras. Así, el 16 de julio de 1791, el club jacobino ve escindirse de su seno a la facción de los *feuillants*, mucho más moderada en sus planteamientos y mucho menos dispuesta al contacto con las masas.

Pero, además, aquella educación cívica y política que el pueblo estaba recibiendo desde mediados de 1790 en los clubes y secciones patrióticas, por parte de los sectores más demócratas y radicales de la burguesía, inició a las masas en un sentimiento anticlerical y de oposición a la Monarquía, favorecido por los acontecimientos antes descritos. Las nuevas consignas, en medio del ambiente de tensión y malestar social radicalizaron las peticiones populares, a la vez que fomentaron la politización y preparación organizativa del *menu peuple* en una nueva fuerza social: el movimiento *sans-culotte*. Así, en 1792, el club *Cordelier* impulsó la creación de una segunda oleada de sociedades patrióticas más activistas y abiertas a todo el mundo. En ellas se respiraría una política de atracción ciudadana, de respeto y defensa de la ley y de la soberanía popular, que revalorizó las virtudes del artesano y del obrero en general; así como una voluntad de enseñanza del camino que el pueblo debe tomar en su marcha hacia la consecución de la igualdad.

Radicalización política

La Asamblea Legislativa contaba con 745 hombres nuevos (la Constituyente había prohibido la reelección de sus miembros) entre los cuales los representantes de la aristocracia eran muy escasos. De nuevo los abogados (más del 20 por 100), los notables y los profesionales liberales superaban en número a la burguesía productiva (negociantes, empresarios o grandes mercaderes), sin que tampoco esta vez las capas populares estuvieran directamente representadas. Ahora, el sector más a la derecha lo constituía la facción *feuillant* (donde se incluían los antiguos constitucionales como La Fayette que se reunían en el convento de los fuldenses de París), que manifestaba un total apoyo a la letra de la Constitución de 1791, y por tanto, representaba el continuismo de la línea política anterior. La fracción mayoritaria (350 miembros) era la Centrista, sin una línea clara, que les permitía oscilar entre unos y otros sirviendo de contrapeso. Y por último, los jacobinos ocupaban el espacio más a la izquierda, dividiéndose a su vez en varias fracciones: los girondinos en torno a Brissot, de carácter más moderado; el grupo de Carnot y Couthon, más democrático que los anteriores; y el grupo *Cordelier*, el más radical y próximo a las reivindicaciones populares.

A pesar de las reticencias de buena parte de sus miembros, la Asamblea no tuvo más remedio que aceptar algunas de las reclamaciones populares, en las que prevalecían las consignas de los grupos jacobinos y *cordelier* (minoritarios en la Asamblea). Así, el mes siguiente a su inauguración se aprobaron dos decretos con duras medidas de castigo contra los nobles emigrados –a quienes se amenazaba con la confiscación de sus bienes– y contra los curas refractarios –a quienes se obligaba a prestar el juramento cívico–. Con todo, la imposibilidad de soluciones rápidas a la crisis económica impidió que los tumultos populares se acabaran, al tiempo que se iba complicando y extendiendo el peligro contrarrevolucionario, animado por la conducta del monarca y de las potencias absolutistas europeas.

Estos dos elementos anteriormente citados impulsaron las ansias de movilización revolucionaria de una burguesía que veía amenazada su obra. Así, dos meses después de su apertura, se inició una serie de debates sobre la propuesta girondina de pasar a la ofensiva en Europa, exportando la Revolución con las armas fuera de las fronteras francesas.

Para Brissot y Condorcet la guerra conseguiría desenmascarar las grandes traiciones del país y canalizar las agitaciones populares, reactivaría los negocios relacionados con el abastecimiento y producción para el ejército, y ayudaría a la consolidación de la Revolución al exponer su carácter de nación libre que quiere defender y mantener su libertad. Esta postura era también compartida por La Fayette, que ambicionaba obtener con victorias militares una posición de fuerza dentro del régimen. Y también por el rey, que veía en la guerra una buena excusa para la penetración de las tropas absolutistas en Francia y la restauración del Antiguo Régimen. En contra de la guerra se sitúan los grupos más a la izquierda, junto al *menu peuple*. Su principal portavoz será Robespierre, quien defendía la necesidad de vencer primero al enemigo interno, y dudaba sobre las posibilidades de victoria de un ejército mal equipado y desorganizado, así como tampoco le merecía demasiada confianza el poder que pudiera tomar un general victorioso.

Con la formación del Gobierno girondino, el 15 de mayo de 1792, y el apoyo que la Corona y los *feuillants* le prestaron, en poco más de un mes se consiguió que la Asamblea aprobara la declaración de guerra contra las potencias absolutistas, aprovechando la situación para purgar de la vida política a sus oponentes. No obstante, las primeras derrotas del ejército, la inquietud y la tensión popular por el agravamiento de la carestía e inflación que la guerra había motivado, así como la dureza del Ejecutivo con sus nuevos decretos contra los sacerdotes refractarios y sobre la discusión de la Guardia del rey (el 27 y el 29 de mayo, respectivamente) provocaron la caída de los girondinos y su sustitución, de nuevo, por el sector *feuillant*.

La caída de la Monarquía

Con la oposición de los sectores más radicales de los jacobinos (por considerarlo demasiado precipitado y sin posibilidades de éxito) y de parte de los órdenes base del movimiento popular, se desarrollaron las jornadas de 20-21 de junio de 1792 en protesta por la destitución de los ministros girondinos, de los reveses militares y de la negativa real a la expulsión de los refractarios. Una multitudinaria peregrinación de manifestantes desfiló delante del rey incitándole a aceptar el programa político de las secciones. A pesar de la espectacularidad de la acción, su efectividad sería nula para el pueblo, al no tener sus medidas una continuada defensa por parte de sus promotores girondinos, quienes vieron desbordados sus planteamientos por la acción popular y prefirieron dar marcha atrás en sus ansias revolucionarias en favor de un acercamiento al rey. La consecuencia inevitable de este repentino giro social fue la aproximación y aceptación del liderazgo robespierrista y *cordelier* por parte del *menu peuple*; que coincidiría con una etapa de predominio de los órganos de base del movimiento *sans-culotte* (miembros de las clases populares revolucionarias que adoptaron el pantalón de paño a rayas como muestra de oposición a las clases altas que usaban calzas, *culottes*) en el seno de los gobiernos y asambleas de las secciones, en el caso de París, y de las municipalidades de toda la nación.

El aumento de la tensión política y social hasta límites insostenibles culminaría con las amenazas de represalias para los colaboradores del Nuevo Régimen, por parte de los realistas contrarrevolucionarios que operaban en el exterior. Con ello se fue forjando un sentimiento de que la culpa de la carestía y el malestar social estaban vinculados estrechamente con las actuaciones contrarrevolucionarias, conformándose con una nueva versión del complot aristocrático que, como en el verano de 1789, movilizó a las masas populares. Así, y también en un claro sentido defensivo, a raíz del Manifiesto de Brunswick del día 25 de julio, se produjo una sucesión de falsos intentos de insurrección y envío de un ultimátum

Interior de una aduana, detalle, por M. B. Leficié, Museo Thyssen-Bornemisza

tras otro al rey, exigiéndole un giro en su política social. Al no obtener resultados, éstos culminarían con las peticiones de destitución de Luis por parte de las secciones de París, el 3 de agosto, y con el derrocamiento de la Monarquía en la jornada del 10 de agosto (en la que miles de *sans-culottes* asaltaron el palacio de las Tullerías deponiendo al rey en medio de un espectacular acto de fuerza y agresividad).

Las jornadas de agosto en nombre del ejercicio espontáneo de la soberanía popular significaban una primera victoria contra los elementos contrarrevolucionarios, completada en poco tiempo con las masacres de prisioneros en las jornadas del 2 al 6 de septiembre, en las que 1.400 personas, acusadas de traidoras a la nación, fueron ajusticiadas en las cárceles con el consentimiento e impotencia de las autoridades y con la victoria en Valmy sobre los ejércitos del absolutismo. Una nueva etapa se abría en el proceso revolucionario anunciada desde el mismo día 10 con las peticiones, desde los clubes y secciones de París y desde todas las regiones, de la convocatoria de una Convención, por la que Robespierre había apostado ya, decididamente, meses atrás.

El triunfo de la Revolución

IRENE CASTELLS OLIVÁN

Profesora titular de Historia Contemporánea. Centro de Estudios de la Revolución Francesa. Universidad Autónoma de Barcelona

El triunfo de la insurrección popular del 10 de agosto de 1792 abre el período más radical de la Revolución Francesa. El sistema representativo que los revolucionarios intentaron establecer entre 1789-1791 no pudo funcionar debido a la actitud contrarrevolucionaria de Luis XVI, que se negó a jugar su papel, abandonando el poder ejecutivo, y a la presión creciente del movimiento popular y de los demócratas, dispuestos a no aceptar el discurso de *la revolución ha terminado*, tal como lo proclamaban los monárquicos constitucionales. Fue por tanto, además de la traición del rey a la Constitución –que acabó desacralizando la hasta entonces vigente imagen del rey-padre–, el propio régimen salido de la Ley Suprema de 1791 quien abrió camino a la idea republicana –en una Francia profundamente monárquica en 1789–, al responder con la ambigüedad y la represión a las reivindicaciones democráticas. El contenido y forma de esta República nacida de la insurrección, se debatirá durante tres años en el marco de la *Convención* que surgió seguidamente y que estableció entre 1792-1795 un régimen de dictadura de asamblea, que puso entre paréntesis la separación de poderes. Esta continuidad institucional, sin embargo, cobijó políticas muy diversas e incluso antagónicas, que dieron lugar a las diferentes etapas que la historiografía viene denominando como Convención *girondina, jacobina* y *termidoriana*, impuestas por los cambios producidos en la correlación de las fuerzas sociales. Tampoco el ritmo político coincide exactamente con estas divisiones. La verdadera ruptura de la dinámica revolucionaria se produjo en julio de 1794, con la reacción de termidor, que supuso la quiebra de la Revolución inspirada en los principios de la Constitu-ción jacobina de 1793.

El 10 de agosto de 1792 caía la vieja Monarquía francesa, con 1.000 años de antigüedad a sus espaldas. La Asamblea Legislativa, tras suspender en sus funciones y recluir a Luis XVI en la fortaleza del Temple, tuvo que instaurar un régimen provisional. Nombró un Consejo ejecutivo y fijó el modo en que debía elegirse la nueva Asamblea, a la que se llamaría *Convención*, según la terminología americana. Pese a estos acuerdos básicos, los diputados se encontraban divididos respecto a la orientación a tomar. Unos –los girondinos– querían la rápida vuelta a un régimen constitucional que eliminase definitivamente la presión de la *Comuna insurreccional* de París, formada el 9 de agosto por delegados de las secciones parisinas en sustitución de la municipalidad legal. Otros –los jacobinos– deseaban establecer provisionalmente un Gobierno de excepción que dictase las medidas defensivas necesarias para salvar al país y a la Revolución.

El resultado fue un difícil compromiso momentáneo, por el cual la aún vigente Asamblea Legislativa reconocía la actuación represiva –el primer Terror– de la Comuna de la capital –detención de *sospechosos*, Tribunal criminal extraordinario para juzgar los crímenes del 10 de agosto, medidas contra los emigrados, destierro de los curas refractarios, etc.–, y la Comuna, a su vez, toleraba la existencia de la Legislativa hasta la formación del nuevo organismo constituyente. Durante el breve tiempo que precedió a la creación del mismo, el distanciamiento no hizo sino acrecentarse, sobre todo a raíz de las *matanzas de septiembre*. El día 2 de ese mes, en una nueva oleada de violencia reactiva y pánico colectivo, producidos por la amenaza de invasión prusiana, una muchedumbre armada asaltó las prisiones y tras un simulacro de juicio, empezó una matanza de prisioneros –unos 1.300, la mitad del total–, no todos realistas, que duró hasta el día 5, ante la pasividad de las autoridades. Danton era entonces ministro de Justicia.

En ese clima de guerra civil y exterior, entre el 26 de agosto y el día de la constitución de la Convención el 20 de septiembre de 1792, se celebraron elecciones mediante sufragio universal masculino en dos grados: asambleas primarias y electorales. Quedaba pues suprimida la distinción de la Constitución censitaria de 1791 entre ciudadanos activos y pasivos. Pero de unos siete millones de electores –sobre 28 millones de habitantes–, apenas la décima parte votó a los 749 diputados. La agitación político-social existente y la falta de instrucción y práctica electoral en gran parte de la población, privada hasta entonces del derecho de voto, incidió de modo notable en el fuerte abstencionismo y explica el que no hubiera, más que a título de excepción, ningún representante de origen popular.

La composición social de la nueva Asamblea era semejante a la de la Legislativa, cuando entró por primera vez en acción la nueva generación revolucionaria que ocuparía la escena política entre 1792-1794. Ésta era muy distinta de la de las Constituyentes, aunque alguno de sus personajes más significativos –como Robespierre– había sido también diputado en 1789. Desde el otoño de 1791 el grueso de la representación nacional estuvo compuesto

La familia de los cerdos devueltos al establo, caricatura, París, Biblioteca Nacional

por una burguesía media, burguesía de oficios, abogados, médicos, notarios y pequeños fabricantes y comerciantes. Durante la Convención, más de un tercio de la misma era de hombres de leyes, notarios, abogados y antiguos procuradores, buena parte de los cuales ya tenía práctica parlamentaria o había ocupado cargos públicos en la Administración central o departamental.

En la primera sesión de la Convención se declaró ya la abolición de la Monarquía, y se acordó que la fecha del 22 de septiembre de 1792 inauguraba el año *I de la República*, que se declararía a continuación *Una e Indivisible*.

Así se proclamó el Nuevo Régimen en Francia. Obligada por las circunstancias, la Convención tuvo que actuar desde entonces hasta su disolución en 1795, como un Gobierno provisional de excepción. A ella correspondía elaborar el texto constitucional que definiera la naturaleza y estructura de la República democrática a establecer. Se nombró para ello un comité, que a partir de octubre invitó a todos cuantos lo deseasen a que le hiciesen llegar sus proyectos.

Mientras tanto había que gobernar, y hacerlo según un mecanismo que representase a la mayoría de la Convención. De este modo la Asamblea se fue afianzando como centro único de gobierno, asumiendo las funciones del poder ejecutivo.

El enfrentamiento entre la Gironda y la Montaña

Es incorrecto –e introduce confusión– hablar de *partidos* durante la Revolución Francesa en el sentido moderno del término, algo que era condenable a los ojos de todos los revolucionarios. Sin embargo, desde la Constituyente los diputados se colocaban según sus afinidades políticas. Según las tendencias, la Convención estaba dividida desde el principio en tres grupos: situados a la izquierda, los partidos de la *Montaña* –que, en junio de 1793, sumaban alrededor de un 35 por 100 de los convencionales–; a la derecha, los *girondinos*, menos numerosos –entre un 18 y 23 por 100–, y ocupando el centro, el resto de los diputados, que componían lo que se había denominado la *Plana* o *Llanura*, con una posición política no muy definida. Así, los debates dejaban constancia, en la terminología de la época, de la existencia de una izquierda y una derecha en las Asambleas.

La polarización que se produjo entre los dos extremos tuvo su origen y nombre en las actitudes sostenidas durante la Legislativa por el grupo político constituido en torno a los diputados del departamento de la Gironda, opuesto a los que en aquella Asamblea habían ocupado los bancos más altos y habían defendido posturas más radicales, es decir, los *montagnards*, estrechamente vinculados con la actividad del club de los jacobinos en 1792-1794, pero que no constituían una agrupación políticamente homogénea. Durante la primera etapa de la Convención, fue la Gironda la que detentó el predominio político, hasta irlo perdiendo progresivamente y verse totalmente desbancada por la Montaña tras las jornadas insurreccionales del 31 de mayo-2 de junio de 1793.

Girondinos y *montagnards*

El grupo girondino no quedó estructurado hasta octubre de 1791 en torno a diputados como Brissot, Vergniaud o Ducos, pero su doctrina se había elaborado antes.

Defensores a ultranza de las libertades, de la propiedad, del ideal social y constitucional de 1789 y de un liberalismo económico ponderado por una fiscalidad progresiva, rechazaron en un principio el compromiso con el absolutismo y los privilegiados, y buscaron la alianza con el pueblo. Pero la creciente participación de éste en la vida política les hizo ser cada vez más temerosos del mismo y orientarse hacia una política conservadora, celosa de guardar el orden social contra la subversión. Controlaron el poder después del 10 de agosto de 1792, pero su voluntad de estabilizar a toda costa la Revolución les enfrentó a los jacobinos de la Comuna de París y a sus representantes parlamentarios en la Convención, los *montagnards*.

No hay que ver sin embargo en el origen de este enfrentamiento una clara diferenciación social. No hay que ver en los girondinos un potente grupo político de ricos burgueses en contraste con los *pobres* jacobinos. Había en ambos alta burguesía de negocios, manufactureros y grandes propietarios, pero también, mayoritaria-mente, profesionales liberales, juristas e intelectuales, es decir, los cuadros privilegiados de la representación política.

Algunas monografías locales han mostrado que los pro-*montagnards* estaban más cerca de la pequeña burguesía, del mundo artesanal y del pequeño comercio que los girondinos, los cuales tenían mayor conexión con la renta o el gran negocio. Pero puede concluirse que ninguna notable diferencia de clase los oponía y que en el plano socio-económico, girondinos y *montagnards* tenían muchas semejanzas.

Más significativa era su distinta tradición geográfica y cultural. Las semejanzas sociales y profesionales no impedían que los dos grupos revolucionarios representasen intereses y comunidades radicalmente diferentes, lo que tuvo indudable influencia en su respectiva actitud política ante los problemas que iba planteando el desarrollo de la Revolución.

El mapa girondino de Francia estaba constituido por los departamentos marítimos y los situados a lo largo de las grandes vías de comunicación, en el sur y en el oeste. Mientras, los *montagnards* eran en su mayoría originarios del norte, este, región parisina y comarcas pobres del Macizo Central y de los Pirineos. Es decir, los segundos procedían de numerosos departamentos mientras que los girondinos se concentraban en algunas regiones particulares, sobre todo en las ciudades portuarias y centros comerciales. Estos últimos eran además, en su conjunto, unos diez años mayores que sus oponentes, y por tanto, estaban más influidos por el optimismo del *Siglo de las luces* y por la *Enciclopedia* que por Rousseau, que imprimió a los jacobinos una visión más voluntarista de la política.

Fue en torno a la actitud a adoptar en relación a las reivindicaciones de los sectores populares, donde se produjo la fricción mayor entre la Gironda y la Montaña, que desembocó finalmente en una divergencia fundamental respecto a la práctica política.

En un contexto de guerra, contrarrevolución interior y crisis económica y social, los girondinos se negaban a adoptar medidas extremas. Habían querido la guerra y se resistían a emplear los medios adecuados para ganarla como era el de atender, en primer lugar, al abastecimiento del pueblo y del ejército, lo que implicaba la reglamentación de las subsistencias Por el contrario, en diciembre de 1792 restablecieron la libertad de comercio de granos y harinas que había sido anulada en el mes de septiembre anterior bajo presión popular, y amenazaron con pena de muerte a todos cuantos se opusiesen a la libre circulación de las mercancías.

Al mismo tiempo, estaban librando desde el mes de octubre una ardua batalla contra los jacobinos de París –de cuyo *club* procedían ellos mismos–, acusándoles de *niveladores* y *anarquistas* por su actitud en relación al aumento de precios y la carestía. En realidad, abastecer a pueblos y ciudades de los productos de primera necesidad había sido una preocupación constante de los clubs jacobinos durante la Revolución. Pero además, Saint-Just estaba asociando en esos momentos, en sus discursos en la Convención del mes de noviembre, el mecanismo inflacionista de los asignados con el acaparamiento de granos y la especulación.

Esta denuncia de la política económica de los girondinos por parte de los jacobinos-*montagnards*, formaba parte de la respuesta que éstos dieron punto por punto a los ataques recibidos de sus oponentes, a quienes acusaron de querer dividir a todos los republicanos patriotas, volviendo contra ellos las acusaciones que les habían lanzado. Su réplica

Alegoría de la Constitución de 1791, París, Biblioteca Nacional

sistemática debilitó a la Gironda y pudieron conseguir meses más tarde –primavera de 1793– que se aprobasen algunas medidas sociales: un empréstito forzoso de 1.000 millones de libras sobre los ricos, la obligación de aceptar el asignado como forma de pago y una primera ley sobre el *maximum* del precio de los granos, es decir, la tasación de estos precios por departamento.

Al mismo tiempo, la coyuntura política había ido minando la autoridad del primitivo Consejo ejecutivo y de los ministros girondinos en beneficio de otros nuevos organismos que fueron constituyendo un Gobierno de excepción. Fueron éstos: el *Comité de Seguridad General*, cuyo origen databa de enero de 1793 y que fue transformado en abril del mismo año en *Comité de Salud Pública*, al que correspondieron las funciones de defensa y las anteriormente atribuidas al Consejo ejecutivo; los *representantes en misión*, que debían asegurar el nexo entre los organismos locales y provinciales y los Comités del Gobierno; el *Tribunal Criminal Extraordinario* creado en París el 10 de marzo de 1793 para sentenciar sin apelación los crímenes políticos; y los *Comités de Vigilancia Revolucionaria*, constituidos el 21 de marzo del mismo año en cada municipalidad, con la misión de elaborar listas de los extranjeros y de todos los sospechosos.

De este modo, mientras a través de la organización jacobina de los clubes y sociedades populares en París y provincias se estaba asumiendo la solución terrorista sin dejarla a la práctica espontánea de los ultra-radicales, la Montaña iba logrando imponerla a nivel de las instituciones. Esto permitió a la vez lograr el máximo de unión y eficacia en el interior del movimiento popular y canalizar todas las energías en una lucha política cuyo objetivo inmediato era ganar la guerra y consolidar los logros revolucionarios. La consecución de esta hegemonía se hizo sobre el telón de fondo de una profunda crisis económica que estaba afectando a las masas. Pero el proceso de escisión de las dos fuerzas políticas rivales hasta la caída de la Gironda, se produjo en relación con una serie de hechos concretos que tuvieron el efecto de agudizar el enfrentamiento y mostrar que lo que estaba en juego sobrepasaba en mucho la mera lucha por el poder. Fueron éstos el *juicio del rey*, la *extensión de la guerra* y la *sublevación de La Vendée*.

La crisis económica

La Convención girondina no se mostró más capaz que las anteriores Asambleas de resolver sus problemas financieros, teniendo que echar mano igualmente del recurso de los asignados. A causa de las continuas emisiones de los mismos, la cotización de este papel moneda continuaba bajando con las consiguientes consecuencias negativas para el abastecimiento y el poder de compra de los sectores populares. Aunque los convencionales consideraban que la causa del encarecimiento de los alimentos residía en la abundancia de los asignados, se resistían a la aplicación de medidas que restringieran su circulación, ya que la expansión de la guerra requería nuevos gastos, la recaudación de los nuevos impuestos se estaba mostrando ineficaz e insuficiente y los ingresos procedentes de la venta de los bienes del clero y de los emigrados –bienes nacionales *de segundo origen*– no satisfacían las necesidades.

La mala moneda expulsaba a la buena –el numerario–, la cual escaseaba cada vez más al no aceptar los vendedores el papel-moneda, lo que aumentó la devaluación del mismo, el perjuicio de los que eran remunerados con él y el aumento de los beneficios especulativos de quienes poseían bienes de consumo. En febrero de 1793 los asignados se habían depreciado en un 50 por 100 por lo que en abril se prohibió la práctica existente del doble precio –en papel y en metal–, pero al no efectuarse requisiciones, continuó el trafico del metal, siguiendo sin atenderse las reivindicaciones de Marat y los robespierristas de que cesara la emisión del papel, y las de los *sans-culottes*.

Estos últimos culpaban de la vida cara a los abastecedores del ejército, quienes en su opinión, realizaban compras a precios muy bajos manteniendo la competencia y obligando, así, a la concentración de los productos.

Resumiendo, ante el aumento de la inflación, las clases populares de las ciudades exigían una política reglamentarista, mientras que la burguesía girondina seguía apegada a la creencia de que la restricción de la libertad de comercio agravaría la situación alimenticia. Por último, la Montaña abogaba provisionalmente, como respuesta a una coyuntura de excepción, por la intervención estatal para imponer el *maximum* y el asignado.

El proceso del rey

El juicio y la ejecución de Luis XVI fueron hitos cruciales en el desarrollo revolucionario. La insurrección del 10 de agosto había abierto un proceso que se hizo cada vez más inevitable ante la evidencia de su complicidad con el extranjero y la contrarrevolución. Las secciones de París exigieron que el monarca fuese juzgado por la Convención, lo que se decidió el 3 de diciembre de 1792 tras un famoso discurso de Robespierre –*Luis debe morir porque es necesario que la patria viva*– y pese a las tentativas de obstrucción girondina, que no deseaban su muerte. El 7 de enero de 1793 se dieron por concluidos los debates y el 15 del mismo se le declaró culpable de conspiración contra la libertad pública, por 707 votos a favor y ninguno en contra.

La guerra entre Francia y Europa

Al día siguiente empezó la interrogación nominal sobre la condena que debía sufrir el monarca, en la que cada diputado, además de votar pública y abiertamente, debía explicar su decisión. El primer escrutinio fue favorable a la pena de muerte por 387 votos contra 334, pero la derecha de la Convención consiguió una nueva votación en la que se ratificó el resultado de la primera por sólo un voto de diferencia a favor de los partidarios de su ejecución en la guillotina –361 contra 360–, llevada a cabo al día siguiente, el 21 de enero de 1793. Ésta fue la primera gran derrota de los girondinos y abrió una fosa cada vez más insalvable entre los regicidas y los que se habían negado a aplicar la última pena. Era además un desafío a los Estados europeos coaligados contra la Revolución.

El 31 de enero de 1793, Danton –como anteriormente había hecho Brissot– desarrolló en la Convención la teoría de las fronteras naturales de Francia –el Rin, los Alpes y los Pirineos– en virtud de la cual reclamaba la anexión de la orilla izquierda de aquel río y de Bélgica, ocupada en el otoño de 1792, tras la batalla de Jemappes. Esta ocupación motivó que Inglaterra se uniera desde el mes de febrero a las potencias ya en guerra con Francia –Austria y Prusia– y organizase la primera coalición entre marzo-septiembre de 1793, en la que se integraron Holanda, el resto de los Estados alemanes, el Papa, el reino de Piamonte-Cerdeña y España. La guerra de

La Igualdad, Montreuil, Museo de l'histoire vivante

liberación de los pueblos, en consonancia con los principios pacifistas proclamados por la Constituyente –que declaró *la paz al mundo entero*– se fue transformando, después de Jemappes, en una guerra de expansión y de conquista.

Los jacobinos se habían opuesto a ella desde el principio –polémica entre Danton y Robespierre durante la Legislativa– pero ante la extensión de la misma a lo largo de la primavera de 1793, exigieron que se declarase de nuevo, como en Valmy, *la patria en peligro*, y acabaron aceptando la reivindicación de los *sans-culottes* de la *leva en masa*, es decir el servicio militar obligatorio y universal para toda clase de hombres mientras durase la situación bélica.

La Asamblea Constituyente, la Legislativa y la propia Convención, habían afirmado el servicio militar obligatorio, pero tardaron en aplicarlo, tanto por la oposición de los mandos militares que en 1789 estaban en contra de la constitución de un ejército nacional, como por miedo a la resistencia de los campesinos. De ahí que se organizase un sistema de reclutamiento voluntario por un tiempo limitado y controlado por la Administración civil. Éste era el carácter de la leva de 300.000 hombres decretada en febrero de 1793, que tuvo poco éxito y suscitó deserciones y revueltas, puesto que la Convención impuso a cada departamento una contribución en hombres según el número de habitantes y el contingente proporcionado en 1791.

Ello hizo la situación más crítica, pues a principios de febrero de 1793 se contaba con apenas 200.000 hombres y el *Comité de Defensa General* había estimado que era necesario medio millón. La urgente reforma del ejército planteaba a la Convención girondina, por una parte, el dilema entre el riesgo del cesarismo o la democracia directa en el ejército y por otra, a nivel económico, la libre empresa o la estatalizacion. El resultado fue la ineficacia, pues no consiguió equipar convenientemente a los soldados ni alimentarlos, se produjo la traición de los generales La Fayette y Dumouriez y, entre marzo-mayo de 1793, una serie de derrotas militares en todas las fronteras.

Los girondinos tuvieron que afrontar duras críticas en la Convención y, fuera de ella, la guerra civil que se desencadenó en el oeste.

La Vendée

El movimiento insurreccional de La Vendée estalló en marzo de 1793 en el departamento de este nombre, al sur de Bretaña. El pretexto –no las causas– fue la leva militar de 300.000 hombres citada anteriormente, que produjo malestar en numerosas regiones de Francia, pero que sólo en ése y otros puntos cercanos se tradujo en una insurrección armada de gran envergadura. Dio lugar a la llamada *guerra de La Vendée* –marzo 1793-primavera de 1796–, la cual no es más que un trágico episodio de la guerra civil endémica que afectó a unos 15 departamentos del oeste de Francia entre 1791 y 1801. La Vendée *militar* fue prácticamente derrotada –y duramente reprimida– en el marco de la República jacobina, en diciembre de 1793.

Se prolongó hasta el Directorio y persistió después bajo otras formas, convirtiéndose en lo que se llamó la *chouannerie*, es decir, en un movimiento de guerrillas campesinas desarrollado en las regiones situadas al norte del Loire, existente desde 1794 y que tomo su nombre de

Jean Chouan, apodo del guerrillero Jean Cottereau. Desde entonces se acuñó la equivalencia de *chouan* con la de campesino insurrecto contra el Gobierno revolucionario. El refuerzo del armazón administrativo durante el Consulado y el Imperio, el retorno parcial de los nobles emigrados y la progresiva estabilización de la sociedad campesina lograron aplacarlo, aunque surgirían nuevos brotes en 1814 y en 1832.

Al principio de la insurrección no hubo al frente de la misma ni nobles contrarrevolucionarios ni curas refractarios. Pero entre marzo y junio de 1793 el movimiento vendeano se convirtió en realista al integrar en su programa político como puntos fundamentales la fidelidad al rey y la defensa de los sacerdotes contrarios a la Constitución civil del clero. Se puso al servicio de la contrarrevolución armada al formar el *Ejército católico y real*, compuesto por campesinos y artesanos y que llegó a encuadrar entre 60.000 y 120.000 soldados.

Pero La Vendée no fue ni un bastión de arcaísmo y fanatismo, ni un santuario de piedad y fidelidad monárquica. Formó parte del rechazo de una sección del campesinado francés a determinadas exigencias que se le estaban imponiendo con la nueva Administración local y la reforma de la Iglesia, las cuales atentaban contra la conciencia comunitaria forjada y simbolizada en torno a la parroquia y al capellán rural. Su rebelión ponía de manifiesto las limitaciones sociales, políticas y culturales del proceso revolucionario, y el rechazo del mismo por diversos sectores populares, enfrentados a una Revolución que no aceptaban porque no la veían como suya.

La Gironda había intentado después de marzo de 1793 una contraofensiva que le permitiera seguir controlando el poder y que se tradujo en la acusación

La Fayette, detalle de una litografía de la *Historia de Europa*, de E. Castelar

que hizo contra Marat, llevándolo al Tribunal revolucionario –quien lo declaró absuelto el 24 de abril–, y en la creación de un dispositivo anti-*montagnard* –la *Comisión de los Doce*– el 12 de mayo. Finalmente, la acusación de Hébert marcó la ruptura definitiva entre los girondinos más hostiles al movimiento popular parisino y la Montaña. Por su parte, los jacobinos de París a partir de abril de 1793, centraron su actividad en la lucha por el derrocamiento de la Gironda, organizando un ataque en toda regla contra ella desde el club, en estrecho contacto con el movimiento seccionario, y desde la Comuna, que seguían controlando con el apoyo de la Montaña.

Caída de la Gironda, federalismo y contrarrevolución

En otras ciudades, por el contrario, moderados y realistas consiguen el apoyo popular para derribar a la municipalidad jacobina, como ocurrió en Lyon. El 26 de mayo, Marat y Robespierre hacen un llamamiento a la insurrección contra los diputados girondinos mientras un comité revolucionario de la Comuna de París prepara llevarla a cabo el día 31 en la Convención, en la que los *montagnards* tenían ya la mayoría.

Bajo la dirección de su comandante general, la Guardia Nacional de París, compuesta en su mayor parte por secciones más populares, cerca la Convención reclamando la disolución de la *Comisión de los Doce, la depuración de las administraciones y la creación de un Ejército revolucionario del interior destinado a perseguir a los sospechosos, a la aplicación del* maximum *y a proporcionar asistencia publica a los viejos y los inválidos.* Lo único que acepta la Convención es la primera petición, pese a lo cual los manifestantes se retiran. El 2 de junio, una nueva insurrección ante la Asamblea exige ya abiertamente la detención de los girondinos y llega incluso a la amenaza de disparar las armas ante la inicial resistencia de su presidente, Hérault de Séchelles.

Sin embargo, el fundamental resultado de las nuevas jornadas revolucionarias fue el hecho de que la burguesía conservadora desapareciera temporalmente de la escena política, para dar paso a un equipo de Gobierno formado por partidarios de la Montaña y que contaba con un amplio respaldo popular.

No por ello se evitó que estallaran inmediatamente, desde el 6 de junio, movimientos de protesta en diversas provincias –Normandía, Burdeos, Nimes, Lyon y

Marsella– al llegar la noticia de la derrota girondina, llevada en muchos casos por los propios diputados que marcharon a sus respectivos departamentos con el ánimo de atizar la insurrección. Era el principio del movimiento *federalista*, que reclamaba nuevas elecciones y que, en nombre del derecho de resistencia a la opresión de París, se negó a obedecer los decretos de la nueva Convención, encarcelando a sus delegados.

Las insurrecciones afectaron a numerosos departamentos –unos sesenta–, y más a los núcleos urbanos que al campo pero no hubo una plataforma común de actuación.

En algunos casos, como en Lyon, el conflicto mostró claramente el contenido social de la revuelta federalista, al realizarse en ella el tradicional antagonismo existente en la ciudad en torno a la industria sedera: maestros-obreros, oficiales y aprendices se enfrentaban a la burguesía moderada de comerciantes-fabricantes vinculados con la nobleza. Y fueron estas fuerzas de la patronal, perjudicadas en sus intereses económicos por las crisis de las sederías y del comercio, las que no sólo encabezaron el movimiento insurreccional, sino que buscaron para ello la alianza con los realistas de la ciudad del Franco Condado y de Provenza. Al no encontrar apoyo suficiente, el federalismo lionés quedó aislado, evolucionando claramente hacia la contrarrevolución, en contacto con las potencias extranjeras y los emigrados.

Lo mismo ocurrió en Provenza –Marsella, Tolón–, pero en esta zona los enfrentamientos no tuvieron un carácter de clase tan nítido al mezclarse elementos diversos y tener el movimiento federalista y realista un mayor respaldo social.

La falta de coordinación entre los diversos núcleos opuestos a la Convención ocasionó la derrota de los mismos, pero Lyon no capituló hasta octubre, y Tolón no fue recuperado de la ocupación anglo-realista hasta el 9 de diciembre de 1793, tras un duro asedio de varios meses en el que destacó decididamente el joven capitán de artillería Napoleón Bonaparte, desconocido hasta entonces.

Todos estos movimientos de oposición a la Revo-lución, tuvieron su punto álgido en el verano de 1793, en el que la República francesa estuvo a punto de sucumbir ante la invasión, la guerra civil y la crisis interna. Los jacobinos lo englobaron todo bajo la denominación de *contrarrevolución*, cuando es evidente que sólo debe comprenderse bajo este calificativo la acción de los adversarios de los cambios efectuados desde 1789 que querían restaurar la monarquía absoluta y volver a la situación anterior al 5 de mayo de 1789. Esta actividad fue protagonizada por la mayoría de la nobleza y los descontentos por el cisma religioso que supuso la implantación de la Constitución civil del clero en el año 1790.

Estuvo dirigida desde muchos centros situados en el extranjero o en la propia Francia, que pusieron en pie diversas redes de información clandestinas a su servicio, no muy coordinadas entre sí. Los más activos fueron los emigrados –compuestos, hasta julio de 1793, por nobles, sacerdotes y alta burguesía–, que se separaron físicamente de la Revolución y establecieron un comité directivo en Turín dirigido por el Conde d'Artois –hermano de Luis XVI y futuro Carlos X– y otro en Renania. Pero en la guerra los emigrados no jugaron un papel importante comparable a la importancia que adquirió la traición de los generales del propio ejército francés. Más importante fue su labor de agitación en aquellos lugares del interior en los que consideraron que existía un terreno abonado para que cristalizase la hostilidad a la Revolución, como fue el caso del oeste, del Languedoc y de Provenza.

La revolución popular

La dinámica revolucionaria entre 1792-1794 no puede entenderse sin la actuación de los *sans-culottes* y sus más radicales representantes, los *enragés*. La insurrección popular tuvo desde el principio un decisivo papel político y social en la radicalización de la Revolución, y fue estructurándose según la marcha de la misma. El asalto a las Tullerías por varias secciones de París y batallones de federados provinciales es indicativo del avance cualitativo que se había producido en su ideología y organización desde las grandes jornadas de 1789 hasta agosto de 1792. Fue un movimiento que transcendió de la capital y que afectó a escala nacional a las ciudades y también, con desfases, a los pueblos. La trayectoria ascendente del proceso revolucionario tuvo su base hasta 1793 en la alianza de los sectores populares de la ciudad y del campo, aunque la revolución campesina poseyera, a su vez, su propio ritmo, autonomía y especificidad.

El movimiento *sans-culotte*, estructurado desde el verano de 1791, alcanzó su apogeo en septiembre de 1793. Agrupaba a los *sans-culottes* activistas, hombres maduros, de unos cuarenta años, padres de familia. Pese a que la participación femenina era menor, durante la primavera-verano de 1793 se constata un auge de la práctica política de las mujeres, hasta que sus clubes sufrieron una prohibición específica el 30 de septiembre de 1793.

Organización y composición social

Los militantes de las organizaciones locales –secciones, sociedades populares...– no sobrepasaban el 10 por 100 del total de la población susceptible de participar. El asociacionismo del verano de 1793 muestra una composición más popular que en los años anteriores, pero el ideal social continuaba siendo representado por el pequeño productor independiente, la categoría más numerosa, según se desprende de la sociología de las secciones, verificada por A. Soboul para París y por M. Vovelle para Marsella: 57 por 100 de artesanos o pequeños comerciantes; 18 por 100 de sectores burgueses, y un 20 por 100 de asalariados –la élite de los mismos–. Una proporción parecida se verifica en las sociedades populares de París durante 1793-94: 10 por 100 de burgueses, 41 por 100 de artesanos, 16 por 100 de comerciantes, 12 por 100 de asalariados y 8 por 100 de criados.

Como las secciones de los barrios –las primitivas circunscripciones electorales que estaban en París en el origen del movimiento seccionario– constituían las subdivisiones administrativas de los municipios, fueron dotadas como tales de órganos de ejecución, de funcionarios y de comités elegidos. Éstos eran comités civiles que hicieron de intermediarios entre el municipio y las asambleas generales que se fueron celebrando en las secciones. Así fue complicándose la estructura seccionaria; de ella surgieron, desde 1792, los Comités Militares, los Revolucionarios y los de Beneficencia, y como la Guardia Nacional se organizó también en 1792 según las secciones, éstas contaban con fuerza armada.

En 1793, los que mejor representaban el poder popular fueron los *Comités Revolucionarios* o *Comités de Vigilancia*, creados en marzo de ese año, utilizados por los jacobinos para controlar el movimiento *sans-culotte* y que fueron ejerciendo cada vez más un papel de policía paralela.

Durante el Gobierno jacobino, entre 1793-94, tendieron en la mayoría de los casos a confundirse sociedades y secciones, escapando el poder popular a las asambleas y a las autoridades seccionarias para concentrarse en las sociedades fraternales. Así se explica que éstas mostrasen desde el otoño de 1793 una composición social distinta a la que presenta al principio de la Revolución, ya que, aunque seguían participando en ellas profesiones liberales y categorías de la pequeña y media burguesía, los trabajadores tuvieron por primera vez acceso a las mismas.

Igual que en el caso de las secciones, las sociedades no eran frecuentadas más que por una minoría de activistas, quienes formaban el armazón del movimiento popular, ejercían un control de militantes sobre la vida política de base y llegaron a funcionar como municipalidades paralelas.

La afluencia variaba sin embargo según el momento político y las cuestiones abordadas, pero en las sociedades populares una asistencia de unos cien ciudadanos por sesión era la normal, lo que implica una movilización política muy alta. Ello explica que en septiembre de 1793 el Gobierno no estuviera en condiciones de controlar la composición y decisiones de las sociedades populares y del movimiento seccionario, que no sólo había elaborado ya su programa, sino que lo había ido poniendo en práctica desde agosto de 1792.

Ideología y programa

El móvil de fondo seguía siendo la cuestión de las subsistencias, la reivindicación del pan abundante y

Luis XVI en una litografía de la *Historia de Europa*, de E. Castelar

barato, pero la sistematización de su práctica social y política había cuajado en dos reivindicaciones fundamentales: economía dirigida y democracia directa.

Eran dos aspectos complementarios que dan buena cuenta de cómo la revolución popular había dotado de un contenido propio a la Declaración de los Derechos del Hombre y del Ciudadano de 1789, y de cómo, las teorías liberales del derecho natural desarrolladas en el siglo XVIII no habían quedado tan sólo a nivel de las élites. A su

Ejecución de Luis XVI, óleo, por Machy

experiencia secular de lucha por las subsistencias, los sectores populares integraron aspectos de la ideología revolucionaria para formular sus propios intereses. Así aparece en el programa *sans-culotte* una concepción del liberalismo del derecho natural que subordina lo económico a lo político, para concluir que los primeros derechos naturales del hombre son la existencia y la libertad.

En consecuencia, se había desarrollado desde 1789 una lucha en la ciudad y el campo por el control y recuperación de sus propios medios de trabajo y de crítica al sistema de *libertad ilimitada* en la propiedad y en los intercambios. Una crítica, en definitiva, a la primacía del liberalismo económico, cuyo resultado era subordinar el derecho de libertad al poder económico. Los *sans-culottes* se afirmaban solidarios por el modo de vida y de consumo, queriendo limitar las grandes propiedades y fortunas. Era una ideología igualitaria, respetuosa del ideal social de una sociedad de pequeños propietarios o productores, que aspiraban a vivir de su trabajo, libres e independientes.

El segundo criterio que los definía era el de poseer un concepto de la democracia que no admitía la división de poderes propia de las formas representantivas, a las que oponían la democracia directa, el principio del control constante de los gobernantes –los *mandatarios del pueblo*– mediante la asamblea popular soberana y la intervención de los organismos populares de base –clubes, secciones, sociedades–. En ningún momento los *sans-culottes* se plantearon tomar el poder, pero sí pedir cuentas al Gobierno de sus actos.

En la sistematización de este programa, sobre todo en lo que se refiere a la reglamentación de las subsistencias, jugaron un papel fundamental desde la primavera de 1792 los *curas rojos*, los llamados *enragés*. Como intelectuales radicales que no sólo conocían, sino que compar-tían la existencia popular, se integraron en el movimiento seccionario, traduciendo las aspiraciones de las masas y obteniendo frecuentemente su confianza.

El término *enragé* no debe hacer pensar en la existencia de una organización regular de los mismos, ni en una corriente única de ideas o de cuadros. El nombre viene del alegato contra los acaparadores que hizo Jacques Roux el 25 de junio de 1793 ante la Convención, como representante de la Asamblea general de la sección de Gravilliers. El texto, que habían impreso en 1.000 ejemplares, contiene las ideas básicas de los líderes *sans-culottes* del momento –Roux, Leclerc, Varlet– y ha sido la historiografía la que lo ha denominado *Manifiesto de los Enragés*.

De carácter empírico, constituye básicamente un documento de circunstancias, que saca a la luz los efectos sociales de la crisis económica, denunciando a quienes cree causantes de la misma: la aristocracia mercantil, los especuladores... Los mecanismos inflacionistas no se analizan, pero los *enragés* eran conscientes de que la multiplicación del papel moneda era la causa del encarecimiento de la vida, acusando a los agiotistas de hacer negocios sobre el doble curso de las mercancías en oro o en asignados. La política económica jacobina vendrá a confirmar sus afirmaciones y a satisfacer parte de sus reivindicaciones.

El período de máximo poder popular se extendió sobre todo entre abril de 1793 y abril de 1794, coincidiendo por tanto con el poder jacobino desde junio-septiembre de 1793. La alianza de estos dos poderes dio lugar al período más radical de la Revolución, si bien desde diciembre de 1793 surgieron graves contradicciones entre el Gobierno revolucionario y los *sans-culottes*, las cuales mostraron también que esa alianza ni estaba establecida entre iguales ni era tampoco una manipulación por parte de los jacobinos. A nivel social, ambas fuerzas políticas estaban en proceso de formación, sin poderse delimitar claramente sus intereses de clase. A nivel ideológico, sobre un marco común igualitarista, surgieron prioridades distintas que acabaron cristalizando en muchos casos en antagonismo político y que repercutieron en el aislamiento de los robespierristas, cuya derrota fue también la de las masas populares.

Pero la confluencia provisional de ambos poderes durante el año II –1793-1794–, creó las condiciones de lo que algunos historiadores se preguntan si puede calificarse de *revolución cultural*. Ello en el sentido de que, en ese período, convergieron aspiraciones diversas y contradictorias de todas las capas sociales comprometidas en la vía de la revolución radical, que los

La Diosa de la Razón, en una litografía del París revolucionario

jacobinos encuadraban y definían como regeneración. En la medida en que la revolución cultural nace de un acuerdo provisional entre los teóricos del poder y las organizaciones populares militantes, el *sans-culotte* representó por antonomasia el verdadero héroe de la Revolución, simbolizando los rasgos del hombre nuevo que cambió su actitud ante la vida y la muerte, ante el amor, ante la familia...

La mentalidad popular operó esta transformación a través de toda una serie de gestos significativos, como el tuteo, la manera de vestirse, la práctica política o las fiestas conmemorativas donde se verificó todo un proceso de aculturación revolucionaria durante 1792-1794. La visión del mundo que emergió de esta crisis, por minoritaria que fuera la práctica militante, ya no era en conjunto la del Antiguo Régimen.

El poder jacobino

Con la detención de los girondinos tras la insurrección del 31 de mayo-2 de junio de 1793, la Montaña se aseguraba plenamente la mayoría en la Convención y con ella el ejercicio de un poder que iba a durar catorce meses. Se dio un cambio cualitativo profundo al precisarse claramente la doctrina que había caracterizado a los *montagnards*: lucha contra el despotismo y el moderantismo. Era la primera vez que los jacobinos disponían del aparato del Estado, pero lo habían conseguido en una coyuntura político-social en la que la Convención debía soportar la responsabilidad de su victoria ante un país dañado y que esperaba todavía que se votara una Constitución.

Retrato de Robespierre, por Pierre Vigneron

El 2 de junio de 1793 aún no se había acabado de discutir el proyecto encargado al comité girondino presidido por Condorcet, y Robespierre ya había expuesto en abril y mayo el punto de vista jacobino sobre el mismo, planteándose una polémica que parecía irresoluble entre los defensores de los derechos individuales y los defensores de los derechos de la sociedad. Los jacobinos habían aconsejado no precipitarse en la aprobación del nuevo código constitucional; sin embargo, en junio de 1793, eliminados sus rivales y en plena revuelta federalista, creyeron urgente concluir la tarea.

La Constitución, llamada *del año I*, fue finalmente votada por la Asamblea el 24 de junio de 1793 y aprobada el 10 de agosto en un escrutinio en el que fueron mínimos los votos negativos (1.800.000 contra 12.000). Iba precedida de una declaración de derechos y estuvo ampliamente inspirada por las ideas defendidas por los robespierristas, siendo un compromiso entre la ideología burguesa de la Montaña y las aspiraciones populares. Entre la afirmación del derecho natural ilimitado de la propiedad de los bienes materiales por una parte, y por otra, el reconocimiento de los derechos sociales: derecho de petición y de reunión, derecho a la existencia y al trabajo, a la instrucción y a la asistencia pública.

Consagraba el sufragio universal masculino y daba plenos poderes a una única Asamblea que debía elegir un Consejo ejecutivo de 24 miembros, asegurando la primacía del legislativo sobre el ejecutivo y ampliando el ejercicio de la soberanía nacional mediante la institución del referéndum. Se encerró el texto, que nunca sería aplicado, en un *Arca santa* en la Convención y se apeló a las circunstancias de la guerra para postergar su entrada en vigor hasta la consecución de la paz. Pero su contenido se convirtió en el breviario de los demócratas del siglo XIX al plasmarse en él por vez primera los grandes temas de la democracia social.

Jacobinos y jacobinismo

La historia de los jacobinos pasó por diversas etapas desde la instalación de su club, en noviembre de 1789, en el convento de los jacobinos de París, hasta que accedieron al poder en junio de 1793. Poco a poco fue creándose una estructura política de alcance nacional que se hizo cada vez más homogénea en sus principios, prácticas y objetivos, y que creció en torno a la *sociedad madre* de París. Gracias a su red provincial de sociedades afiliadas, llegaron a imponerse en la sociedad política y a convertirse en verdaderos líderes de opinión. Esta evolución se produjo en medio de grandes crisis internas y en competencia con otras formas de asociaciones políticas, como el club de los *cordeliers* en París, a su izquierda, y el club de los *fuldenses*, a la derecha. Pero nunca fueron los jacobinos mayoritarios en las asambleas nacionales o departamentales entre 1791 y el verano de 1793.

El golpe de fuerza de los *sans-culottes* de París y el apoyo de los diputados de la Montaña, les permitió desde el 2 de junio organizar en algunos meses la dictadura jacobina del Gobierno revolucionario de Salud Pública. Desde entonces hasta su final, el 9 termidor del año II –27 de julio de 1794–, la hegemonía jacobina se expresó bajo la doble forma del dominio político y del ejercicio de un auténtico magisterio ideológico y moral ejercido sobre la sociedad civil.

El jacobinismo fue una gran empresa de educación pública nacional: la preocupación de los jacobinos por la educación iba destinada a colmar la distancia entre lo real y lo imposible. En ese sentido fueron rusonianos, al fundamentar siempre su práctica política en los principios, en el recurso constante a *lo que debía ser*. Se apartaron del liberalismo al romper, con Rousseau, la división ciudadano/hombre privado y al intentar resolver el conflicto entre voluntad general/particular, legitimando la vida social mediante unas instituciones democráticas.

El amplio organigrama de sociedades populares –de las cuales eran jacobinas, en febrero de 1749, no menos de 2.000– tendió a confundirse con los organismos controlados desde la Asamblea y dotó al *poder jacobino* de fuerza, coherencia y autoridad, constituyendo una estructura que puede evaluarse durante el año II –1793-94– en torno al medio millón de miembros. Algunos historiadores consideran algo elevada esta cifra.

Aunque el comportamiento político jacobino no fue homogéneo, el jacobinismo puede definirse como la corriente más radical de la Revolución Francesa, que tenía como objetivos llevar adelante la transformación del Estado, lograr la alianza campo-ciudad, establecer si era preciso la leva en masa y el terror, convirtiéndose así en la teoría del poder revolucionario vigente durante el año II. La tendencia política jacobina representaba tan sólo un ala de la Montaña y tuvo su máxima coherencia en la ideología robespierrista, que cristalizó la expresión más democrática de todos los equipos que dirigieron la Revolución Francesa. Sus máximos representantes fueron Robespierre y Saint-Just, cuyos planteamientos no deben ser identificados en modo alguno con los del Comité de Salud Pública, al que pertenecían pero en el que no tenían la mayoría.

Los robespierristas personificaron los ideales más genuinos de la Revolución Francesa, en el sentido inicial de 1798: cambiar el orden político del absolutismo despótico por otro fundado en la libertad y en la igualdad. Con ese objetivo concibieron el Gobierno revolucionario como instrumento de acción que permitiera conseguir la unidad política y moral necesaria para hacer frente a la coalición de las potencias extranjeras, así como a los peligros internos de la contrarrevolución.

Fue durante la República jacobina cuando se desarrolló al máximo la corriente igualitarista de la Revolución Francesa, la concepción que aspiraba a crear una sociedad de pequeños productores libres e independientes, que fundamentaba la alianza entre jacobinos y masas populares, sobre la base de una común referencia ideológica a Rousseau. Lo que el jacobinismo intentó llevar a la práctica no era otra cosa que el problema planteado por el *Contrato Social*: hacer compatibles los derechos del individuo con las exigencias sociales y crear un orden social igualitario mediante un acto de voluntad colectiva.

La obra de la Convención *montagnarde* y del Gobierno revolucionario que se constituyó durante la misma no se debió exclusivamente a los jacobinos. Pero sin el instrumento de su organización y el impulso dado por sus militantes a las sociedades jacobinas, los diputados de la Montaña no hubieran podido imponerse, ni superar la crisis del verano de 1793, ni restablecer la unidad nacional, ni abastecer a la población y al ejército, ni finalmente ganar la guerra.

El Gobierno revolucionario

El Gobierno revolucionario no fue una creación repentina, sino el fruto de una evolución lenta que empezó a experimentarse entre el 10 de agosto y el 21 de septiembre de 1792. Vio aparecer la mayor parte de sus organismos desde entonces hasta el 2 de junio de 1793, y terminó de formarse entre esa fecha y julio de 1794, para decaer progresivamente después de la ejecución de Robespierre y desaparecer con la Convención, con su disolución el 26 de octubre de 1795.

El equipo que asumió la dirección durante la etapa jacobina se constituyó entre el 10 de julio y el 12 de septiembre de 1793. Entre esas dos fechas se reestructuraron los dos Comités de Gobierno: el de Salud Pública –desde entonces, *Gran Comité de Salud Pública*– y el de Seguridad General. La Convención renovó el primero entre el 10 y el 27 de julio eliminando a Danton y Cambon y eligiendo, entre otros, a Couthon, Saint-Just, Robespierre, Carnot, Collot d'Herbois y Billaud-Varenne, hasta un total de doce miembros, que asumirían todas las funciones gubernamentales a través de doce comisiones ejecutivas. Aunque compuesto por una mayoría jacobina, las ideas de Robespierre estaban en minoría en el Comité y él no tenía ninguna atribución superior a la de sus cole-gas, pero su figura fue tomando un peso y un ascendiente sobre el mismo cada vez mayor; aseguró en todo momento la conexión entre el Comité y la Convención, por una parte, y por otra, entre el Comité y el club de los jacobinos y la Comuna de París, logrando que estos organismos se comprometieran en una política social y se convirtieran en instrumentos de acción del Estado revolucionario.

El otro Comité, el de Seguridad General, constaba de catorce miembros y fue el encargado de organizar, desde septiembre de 1793, el terror legal, es decir, de aplicar la jurisdicción especial contra los sospechosos y de organizar los grandes procesos políticos –juicios contra

María Antonieta, contra los girondinos, etc.–. El decreto del 14 frimario del año II –4 de diciembre de 1793– supuso una verdadera reglamentación del Gobierno revolucionario, reuniendo en un texto único todas las disposiciones que se habían ido jalonando a lo largo de su evolución, con el propósito de simplificar el funcionamiento institucional existente (Comités de Vigilancia Revolucionaria, sociedades populares, ejércitos revolucionarios –especie de policía política–), y regular las relaciones entre el Comité de Salud Pública, sus agentes nacionales y sociedades populares y entre las diferentes instancias de poder a escala local y provincial, que fueron escapando al control de los *sans-culottes*.

De este modo, se permitió la interpenetración de las estructuras estatales y de los centros de movilización de la opinión pública, subordinando éstos a las necesidades de la centralización. El resultado fue la creación de una técnica política revolucionaria que permitió apropiarse del aparato del Estado y canalizar al máximo las energías nacionales hacia la salvación de la República y la victoria en las fronteras. Pero también acabó con la práctica popular de democracia directa, extendiendo el poder de la Convención sobre todo el país y por todo el ejército.

El final de la República jacobina

En diciembre de 1793 el Gobierno revolucionario había puesto en pie la estructura política adecuada a los objetivos que se había impuesto. A partir de entonces, fueron desarrollándose las contradicciones inherentes al jacobinismo surgidas de la complejidad de su proyecto político, que se proponía cohesionar aspiraciones sociales muy diversas en una dirección común: defender las conquistas políticas y sociales de 1789-1792, y extender el alcance de las mismas a los ciudadanos, dándoles los medios económicos y culturales que les permitieran integrarlas en su vida personal. La gran movilización que se produjo en 1793-1794 contenía en germen los elementos que impedirían –bloqueándolo– que este gran esfuerzo se llevara completamente a término.

Desde finales de 1793 la democracia sólo sobreviviría gracias a que un núcleo de dirigentes revolucionarios era demócrata –en el sentido avanzado de la época– e intentaba, a través de una subversión total del edificio institucional, mantenerse por encima de las facciones, para prolongar en el país su afán democrático. Fue en la primavera de 1794, con el cambio favorable a Francia que se produjo en la correlación de fuerzas con la Europa coaliga-da contra ella, cuando se inició el divorcio entre la sociedad y sus cuadros revolucionarios más consecuentes, quienes sobrepasaban ampliamente, en pensamiento y en voluntad lo que la burguesía en su conjunto estaba en condiciones de asumir.

Las contradicciones se manifestaron en torno a una serie de cuestiones básicas y en relación a unos hechos concretos.

Contradicción entre apoyar la iniciativa económica de los empresarios o la burguesía propietaria/arrendataria; entre las exigencias reglamentaristas e igualitaristas de los asalariados y pequeños productores y la propia concepción jacobina de mantener una República que evitase –como afirmaba Robespierre– que una excesiva desigualdad en la riqueza restara valor a la democracia política.

Contradicción entre el ideal rusoniano de una práctica política democrática impuesta desde abajo y las exigencias centralizadoras del Estado revolucionario. Contra-dicción, finalmente, entre la voluntad modernizadora de erradicar *el despotismo y la superstición,* y la tradición, que había moldeado secularmente los hábitos, las creencias y la mentalidad popular –la descristianización, condenada por Robespierre, fue obra de una extrema minoría–. Los problemas suscitados por todo ello cristalizaron durante 1794 en la llamada *crisis de ventoso* –febrero-marzo– y en *el Gran Terror* –abril-julio–, que acabarían en el definitivo enfrentamiento entre los dos Comités de Gobierno, y condujo a la caída de los robespierristas.

La crisis de ventoso y la lucha contra las facciones

Antes de la primavera de 1794, el Gobierno revolucionario, en nombre de la unidad y la eficacia, había logrado su propósito de integrar en su rígida organización al movimiento popular, autónomo hasta entonces, y que asistió desde esa fecha a una sustitución de su práctica de democracia directa por una política de control-disolución de las sociedades populares. Ésta era llevada a cabo mediante la *designación* –en lugar de elección– de sus miembros, a través de los reestructurados Comités Revolucionarios y de los *representantes en misión*; los agentes del Gobierno central en las provincias y en el ejército.

Entre el 26 de febrero-3 de marzo de 1794, *los decretos de ventoso*, votados a instancias de Robespierre y Saint-Just, y cuyo objetivo era una serie de medidas sociales destinadas a favorecer a los indigentes, no contentaron a nadie y se consideraron como una maniobra política, al coincidir con la lucha contra las facciones por parte del Comité de Salud Pública. De hecho, durante el invierno del año II, las victorias militares y las soluciones aportadas a las cuestiones económicas y agrarias, tuvieron como consecuencia la disolución de las alianzas anteriores –ruptura entre la ciudad y el campo, entre el frente campesino, entre los diferentes sectores de la *sansculotterie*– Saint-Just creía que *la fuerza de las cosas* –de las circunstancias, de las exigencias de la Revolución–, empujaba a estrechar las alianzas a un tiempo con la burguesía revolucionaria y con los ciudadanos más débiles.

Pero la evolución real de la lógica revolucionaria era la inversa, reflejándose ya claramente el fracaso de la política jacobina. El dirigismo económico perturbó las relaciones sociales tradicionales. Se asustaba a los pudientes sin satisfacer plenamente a los pobres y, para ganar la guerra y aprovisionar al país, se imponían sacrificios –mediante la persuasión o la coacción– que ya no se aceptaban a nivel individual. La excesiva centralización y la eliminación del movimiento seccionario, llevaron al Gobierno a replegarse sobre sus elementos jacobino-robespierristas y a la eliminación de las facciones.

En febrero-marzo de 1794, el Gobierno revolucionario se encontró cogido entre la actitud del ala moderada de la burguesía –contraria a las medidas de la economía dirigida– y las reivindicaciones populares asumidas por los *enragés* y los partidarios de Hébert –hebertistas–. Éstos estaban agrupados en el club de los *cordeliers*, y exigían medidas radicales contra todos los cultos religiosos y en la aplicación del Terror y de la economía dirigida. Pero el nuevo sistema estaba teniendo dificultades en asegurar el abastecimiento, llevando al tiempo una política favorable a trabajadores y consumidores y defendiendo el *maximum* de precios pero no de salarios, y rompiendo en consecuencia el equilibrio social. Los *cordeliers* se habían hecho también eco del malestar que en las provincias estaba produciendo el centralismo jacobino, dando alas a la sistematización de otra concepción de la estrategia revolucionaria, surgida en los clubes y sociedades populares del sudeste que algunos historiadores están calificando en la actualidad como de *federalismo jacobino*. Ante el temor de unas nuevas jornadas revolucionarias, el Comité de Salud Pública se apoyó en un primer momento, para la lucha contra la extrema izquierda –*enragés* y hebertistas– en la figura moderada de Danton. Éste había denunciado la política antirreligiosa de los más radicales y se había colocado, desde diciembre, a la cabeza de las críticas de que los Comités eran objeto por parte de los llamados *indulgentes*, por pedir una política de clemencia y la eliminación de la ley de los sospechosos. Pero el 13 de marzo de 1794, Saint-Just lee en la Convención un informe en el que denuncia la conspiración tanto de los *exagerados como de los indulgentes* y el 15 Robespierre declara en la misma Asamblea que *todas las facciones deben perecer a la vez*, lo que se llevó a efecto con la ejecución de Hébert y los hebertistas el 24 de marzo, y de Danton y los dantonistas los días 2-5 de abril de 1974.

El Gran Terror

El llamado *Gran Terror* impuesto desde abril de 1794, respondió a la crisis de miedo provocada por el peligro exterior y produjo una mayor centralización judicial y un recrudecimiento represivo que acabarían enfrentando a los dos Comités gubernamentales. En términos concretos, el *Gran Terror* tuvo sus antecedentes en los decretos de ventoso, que institucionalizaron seis comisiones populares para examinar y clasificar los *dossiers* de todos los sospechosos, y en la creación el 12 de abril siguiente de una oficina de policía dependiente del Comité de Salud Pública. Ello suponía entrar de lleno en las competencias del Comité de Seguridad General –contrario a los robespierristas e incluso bajo la influencia de sectores contrarrevolucionarios–, y mermar las prerrogativas de Fouquier-Tinville, acusador público del Tribunal revolucionario de París y que estaba mostrando una inquietante severidad extrema contra los sospechosos.

Junto a ello, en el momento de iniciarse al proceso contra Danton, Saint-Just consiguió que la Convención votase un decreto que impedía defenderse a todo acusado que insultara la justicia nacional y finalmente, el 10 de junio –22 prairial–, a propuesta de Couthon, la Convención aprobó también una ley que declaraba el procedimiento judicial contra los acusados y cuyo propósito era hacer frente a los manejos del Comité de Seguridad General –denuncias de imaginarias tentativas de revueltas y conspiraciones en las prisiones– y al entorpecimiento que éste estaba ocasionando a la situación de las comisiones populares.

El resultado de todo este complicado proceso fue un grave enfrentamiento entre los dos Comités en un momento de escisión profunda entre el Gobierno y la sociedad: el poder revolucionario había logrado concentrar todos los poderes, pero en su crítica estaban también implicados todos los sectores sociales. Dos nuevas medidas tomadas por la Convención a instancias de Robespierre vinieron finalmente a agudizar el conflicto. Fueron éstas el decreto que reconocía *la existencia del Ser Supremo y la inmortalidad del alma* –7 de mayo de 1794, 18 floreal año II–, y la ley del *maximum* de salarios del 23 de julio del mismo año –5 termidor–. La primera mostraba una clara actitud de reprobación de las prácticas *descristianizadoras* que podían herir los sentimientos religiosos de la gran masa del pueblo –Robespierre declaró que el ateísmo era aristocrático–, una clara intención de no proscribir el culto católico y garantizar la libertad de los otros, y un decidido propósito de instituir una serie de fiestas cívicas que fortalecieran la moral y unidad republicana y supliesen la incapacidad de llevar a la práctica un programa plenamente democrático.

Pero los católicos no vieron grandes diferencias entre las nuevas conmemoraciones cívicas y el culto a la *diosa Razón*, mientras que los convencionales que se habían mostrado partidarios del ateísmo y del racionalismo no perdonaron a los robespierristas este decreto.

Durante la segunda quincena de julio, varios intentos de reconciliación entre los dos Comités efectuados en la Convención fracasaron, y Robespierre decide el 26 de julio dimitir del Comité de Salud Pública y plantear abiertamente el conflicto de la Asamblea. Fue su último discurso, en el que reivindicó sus responsabilidades durante el Terror, y atacó, sin nombrarlos, a todos sus enemigos: Barère, Carnot, Cambon y Billaud-Varenne, en el Gran Comité; Amar, en el Comité de Seguridad General; Fouquier-Tinville en el Tribunal revolucionario, y Fouché y Tallien en la Convención. Estos últimos trataban mientras tanto de ganar la adhesión de *La Plana* y de todos aquellos que se sentían amenazados por los robespierristas. En el club de los jacobinos, Robespierre repite por la noche el discurso que ha hecho en la Convención, pero aunque encuentra partidarios, rechaza el llamamiento a la insurrección.

El 9 termidor

Al día siguiente, 9 termidor –27 de julio–, la Convención votó su detención y la de sus amigos. Cuando fueron arrestados al final de la tarde, la llamada de la Comuna de París a rebelarse contra la Asamblea sólo es seguida por un tercio de las secciones, que se disolvieron al cabo de unas horas al no tener ni suficiente organización ni dirección precisa. Robespierre, Saint-Just, Couthon y 19 más fueron ejecutados sin juicio el 10 termidor –28 de julio– y hasta el día 30 del mismo mes les siguió en el cadalso otro grupo numeroso; en total, unas 108 víctimas. Su caída supuso un profundo giro en la Revolución Francesa, tanto en lo que se refiere a la orientación general de la Convención, como dentro del club de los jacobinos.

Si bien hubo una continuidad institucional por un tiempo y el club no se clausuró hasta noviembre de 1794, el 9 termidor significó el final de la vía jacobina de la Revolución y el fracaso del movimiento democrático. La Convención termidoriana procedió a la supresión de la Constitución legal de 1793 y, con ella, a la eliminación de los defensores del derecho natural a la existencia, a la libertad y a la ciudadanía universal.

La victoria de la Montaña, grabado, por Pierre Leleu, París, Museo Carnavalet

La República burguesa (1794-1799)

IRENE CASTELLS OLIVÁN

Profesora titular de Historia Contemporánea. Centro de Estudios
de la Revolución Francesa. Universidad Autónoma de Barcelona

E1 período que inicia la reacción de termidor, el 27 de julio de 1794 y cierra el golpe de Estado de Napoleón Bonaparte, el 9-10 de noviembre de 1799 –18-19 brumario–, constituye la última etapa de la Revolución Francesa. La de mayor duración, y a la que, sin embargo, se suele prestar menor atención al reducir su historia a un mero episodio de transición entre la República jacobina y la época napoleónica. Los hechos quedan simplificados al supeditarse a una interpretación que, o bien hace hincapié en el frenazo que supone respecto a la fase ascendente a la radicalización de la Revolución, o bien insiste sobre todo en la importancia de la estabilización económico-social de la Revolución, lograda con el Consulado y el Imperio. En ambos casos, los últimos años del proceso revolucionario aparecen como un compás de espera hasta que Napoleón lo diese por concluido.

Este planteamiento esquemático no da cuenta de la complejidad de las luchas desarrolladas entre las facciones burguesas, en la Convención y fuera de ella, de 1794 a 1795. Y, lo que es más importante, deja de lado un aspecto central de esta fase: el de constituir un hito fundamental en el complejo proceso de formación del nuevo Estado burgués surgido de la Revolución. Desde el punto de vista institucional, se ha de ver una línea de continuidad con la etapa jacobina, que se quiebra con la nueva Constitución del Año III, adoptada por la Convención en agosto de 1795, antes de disolverse el 26 de octubre del mismo año y dar paso al Directorio.

No obstante, aunque las instituciones no cambiaron durante 1794-1795 en su forma, sí hubo una profunda ruptura en su contenido ideológico y político-social. La Convención *termidoriana* utilizó el Gobierno revolucionario establecido el Año II –1793-1794–, para sentar las bases de un verdadero aparato de Estado autónomo, perfeccionado durante el Directorio y que éste legó a Bonaparte. Su dictadura es heredera de la República burguesa, durante la cual se consumó la separación entre los ciudadanos y la clase política directorial, entre la sociedad civil y el Estado, al mismo tiempo que se lograba también afianzar la victoria sobre el Antiguo Régimen.

El episodio que inaugura el golpe de Estado de termidor en la Convención, en julio de 1794, no fue un acto de contrarrevolución, sino de reacción contra la vía pequeño-burguesa emprendida por la Revolución y expresada en el jacobinismo. No era suficiente haber eliminado a los jacobinos aprovechando y utilizando sus contradicciones; los termidorianos tuvieron que seguir la lucha contra su representación política en la Convención –la Montaña– y destruir las leyes democráticas en materia política y social –no eliminadas por la simple desaparición de los robespierristas–. Es decir, abolir el *maximum y restablecer* el liberalismo económico deseado por los terratenientes, negociantes y fabricantes, que constituían la base social de la Convención termidoriana, dominada por la tendencia centrista denominada la

Plana, así como por elementos caracterizados por su ultraterrorismo durante el Año II, como Tallien o Fouché.

La reacción de termidor

El objetivo básico era desmantelar el sistema revolucionario del Año II y sustituir la Constitución de 1793 por otra más moderada, pero conservando durante un tiempo las instituciones del Terror –Comités de Vigilancia Revolucionaria, Tribunal revolucionario–, a las que vaciaron del contenido ideológico anterior, utilizándolas como instrumentos políticos de control del Estado y la sociedad. En ese sentido, termidor puso de manifiesto cómo la burguesía estaba aprendiendo a elaborar una auténtica técnica política que le permitiera reducir la política, que había sido hasta entonces *cosa de todos*, a una mera *técnica del poder*, reservada a los legisladores y a los expertos, es decir, al Gobierno.

Tenían para ello que limpiar de jacobinos los clubes y sociedades, así como la Administración y la Convención. Esta difícil tarea de *desjacobinizar* Francia es la que explica la trama de luchas políticas y alianzas que se teje en 1794-1795; para llevarla a cabo los termidorianos se apoyaron en los elementos moderados, antiguos fuldenses y girondinos, en los *terroristas* arrepentidos, y también, inicialmente, en los denominados *termidorianos de izquierda* –indulgentes, neohebertistas– y miembros de la Montaña –como Collot d'Herbois o Billaud-Varenne– que habían secundado la coalición contra los robespierristas. En ese sentido, no hay que perder de vista el aspecto de arreglo de cuentas entre *terroristas* que tuvo en julio de 1794 la reacción de termidor; por ello, la caída de Robespierre –cuya leyenda negra, forjada por

Representación de una mujer *sans-culotte*, París, Biblioteca Nacional

los termidorianos, le identificó como responsable máximo del Terror– supuso la liberación de gran número de detenidos, entre los que había elementos claramente contrarrevolucionarios.

Sólo más tarde, hacia la primavera del año 1795, cuando apareció claro el carácter moderado y la política social de los termidorianos, los últimos *montagnards* empezarían a reagruparse. Se habían unido al 9 termidor para acabar con *la última facción* y poder concluir la Revolución en un sentido democrático, puesto que, asegurada la victoria militar en la batalla de Fleurus, la paz haría innecesario el Gobierno revolucionario, el cual daría paso a la

Constitución de 1793. Pero no eran más de cien los que pensaban así. El resto de los antiguos partidarios de la Montaña –unos 105, entre ellos Barras, Fréron y Tallien–, apoyaba claramente el objetivo de la reacción termidoriana de transformar el Gobierno revolucionario en aparato del Estado, desvirtuando lo que aquél había sido durante el Año II.

La situación política se clarificó en los últimos meses de 1794, después de que se hubiese procedido, en agosto-septiembre, a la reorganización del Gobierno y a la renovación de personal que ejercía el poder en los diferentes niveles administrativos. Una de las medidas más necesarias para asegurar el Nuevo Régimen, fue cerrar el club de los jacobinos –12 de noviembre–, última tribuna de los *montagnards,* cada vez más aislados en la Convención. Se perfilaron entonces las grandes orientaciones de la política termidoriana: revocar la proscripción que pesaba sobre los girondinos –8 de diciembre–; intensificar la ofensiva contra los antiguos miembros de los Comités –20 de diciembre–; conceder una amnistía a los vendeanos y chuanes –2 de diciembre–; y suprimir la obligación escolar, declarando suficiente una escuela primaria por cada 1.000 habitantes –17 de noviembre–.

Esta reacción antijacobina utilizó para su propaganda y acciones represivas a la prensa y a las bandas de la llamada *juventud dorada* de París –*los muscadins,* petimetres–, en las que dominaba el elemento burgués, si bien la movilización antiterrorista no fue exclusivamente burguesa. La segunda etapa de la reacción continuó hasta abril de 1795, con una intensificación de las luchas en dos frentes: el socio-económico y el político-ideológico. Ambos quedan ejemplificados en la abolición del *maximum* –26 de diciembre–, la persecución del personal seccionario del Año II –la *des-sans-culottización* de las secciones parisinas– y la retirada del cuerpo de Marat del Panteón de los Mártires de la Libertad. Las insurrecciones populares de abril y mayo y el *Terror blanco* que se desarrolló, terminaron de marcar los límites de la pretendida estabilización termidoriana.

La derrota de los *sans-culottes*

La supresión de la economía dirigida del Año II y la consiguiente implantación del liberalismo económico, repercutió en el alza vertiginosa del precio de los comestibles y en la depreciación del asignado.

El encarecimiento de los productos de primera necesidad, aumentado por las malas cosechas, apenas afectaba a la burguesía comercial e industrial, beneficiaria, además, de la inflación mediante la especulación y el acaparamiento que les permitía el mercado libre, con la consiguiente carestía general.

Las víctimas eran las masas de la población urbana, a quienes la subalimentación, el hambre y la miseria indujeron una vez más a la revuelta, agravándose los antagonismos sociales hasta la explosión de germinal.

Las sociedades populares y secciones de los barrios eran ya por esas fechas poco numerosas y escasamente activas, pero algunas pudieron aún organizar las últimas jornadas de la Revolución, las insurrecciones de abril y mayo de 1795, cuando el pueblo irrumpió en la sala de reunión de la Convención Nacional reivindicando *Pan y la Constitución de 1793.*

Esto exasperó la lucha política en la Asamblea, durante la cual los *montagnards* apoyaron las peticiones de los manifestantes, si bien les instaron a que abandonasen la sala, a lo que accedieron presionados por la amenaza de los batallones de la Guardia Nacional y las bandas de la *juventud dorada.* Sin un plan de acción concreto, la acción de germinal fracasó y la mayoría termidoriana de la Convención tuvo las manos libres para ordenar el arresto de los jefes de la oposición de la Montaña: Barère, Billaud, Collot y Vadier. La derecha salió reforzada y pudo continuar el trabajo de una revisión a su favor del texto constitucional que se estaba debatiendo. El Comité de Salud Pública se había comprometido, sin embargo, a mejorar el abastecimiento del pan, promesa que se mostró incapaz de cumplir satisfactoriamente. El Gobierno se vio obligado, sin embargo, a tomar medidas reglamentaristas sobre los productos de primera necesidad, pero la libertad total de mercancías no pudo ser implantada hasta junio de 1797.

Mientras tanto, la reacción popular ante la situación a que había llevado la Revolución, convirtió la jornada insurreccional del 20 de mayo de 1795 en la manifestación más nítida del conflicto social existente entre burgueses y *sans-culottes.* Contra la Convención se invocó tanto al rey como a Robespierre, pero lo que se reivindicó en realidad fue la Constitución democrática de 1793. Sin embargo, no fueron tampoco en esta ocasión ni los jacobinos ni los diputados que quedaban de los últimos restos de la Montaña los organizadores de la sublevación popular, aunque la apoyaran de nuevo. La iniciativa correspondió en lo fundamental a los

Fiesta del Ser Supremo celebrada en el Campo de Marte, acuarela de T. Mandet

sans-culottes, quienes no sólo volvieron a invadir la sala de la Asamblea, sino que procedieron a un asalto de la misma, en el que fue muerto el diputado Féraud, y su cabeza presentada al presidente de la Convención, Boissy d'Anglas.

El 21 y el 22 de mayo, por primera vez desde 1789, el ejército surgido de la Revolución reprimió con violencia la última insurrección popular de los *sans-culottes* de París –asalariados, artesanos y tenderos–– obligándoles a capitular sin condiciones en su último reducto de barricadas del arrabal de St. Antoine. Su aislamiento frente a la masa de la burguesía, prácticamente unida contra ellos, explica esta derrota decisiva del Año III. Desde entonces, dejaron de contar como fuerza política hasta la Revolución de 1830.

El *Terror blanco*

El término *Terror blanco* designa la violencia antijacobina que se desarrolló entre la primavera y el otoño de 1795, con persecución y asesinatos de antiguos funcionarios del Terror del Año II o de notorios jacobinos. Fue sobre todo en el sureste, en las zonas próximas a las ciudades de Lyon, Marsella, Tolón y Nimes, donde tuvieron lugar los actos más sangrientos y las grandes matanzas en las prisiones. Estos hechos permitieron un resurgimiento del realismo y desataron una oleada de venganzas y represalias personales que desbordaron el marco de sanción legal al que la Convención termidoriana había querido circunscribir la reacción. El *Terror blanco* fue un fenómeno complejo en el que se dio tanto un arreglo de cuentas pendientes desde el Año II, como una lucha por el poder local entre facciones opuestas desde mucho tiempo antes.

Sin embargo, a otro nivel, tomó el carácter de una verdadera ofensiva de las clases pudientes contra el Terror, y del realismo contra la República. La violencia no fue, por tanto, espontánea en la mayoría de los casos, sino que se dotó de una organización paramilitar y pública: *las Compañías de Jesús o del Sol*, compuestas mayoritariamente por elementos de la alta burguesía y la nobleza local. En este sentido el *Terror blanco* aparece claramente como el intento de reconquista del poder local por una élite conservadora que quería eliminar cualquier amenaza que se cerniese sobre su dominación política y social. Pero tampoco hay que identificar totalmente estas acciones con la conspiración realista –emigrados, sacerdotes refractarios–, aunque ésta se viera fortalecida por ellas.

La contrarrevolución tomó nuevas alas al difundirse, a principios de junio de 1795, la noticia –puesta en duda por algunos– de la muerte del hijo de Luis XVI, de diez años de edad, en la prisión del Temple. El conde de Provenza, tío del fallecido delfín y futuro Luis XVIII, se proclamó inmediatamente sucesor en Verona, lanzando su programa: restablecimiento del Antiguo Régimen, condena de los regicidas, devolución de los Bienes Nacionales e instauración del catolicismo como religión del Estado. Esta actitud imposibilitó cualquier compromiso con los monárquicos moderados.

Por su parte, los termidorianos, faltos todavía de un ejército totalmente *desjacobinizado,* habían tenido que recurrir a los instrumentos utilizados por el *Terror blanco,* con el riesgo de ser arrastrados desde la reacción a la contrarrevolución, que no deseaban en absoluto. Esto explica el giro gubernamental del verano de 1795, después del peligro que había supuesto el desembarco de los emigrados, con ayuda inglesa, en Quiberon, el 21 de julio de 1795, y la insurrección realista de París en octubre del mismo año. Los termidorianos mostraron claramente que su objetivo fundamental era terminar la Revolución –contra jacobinos y realistas– acelerando la elaboración de la Constitución del Año II –de 1795–, que debía institucionalizar un Gobierno gestionado *por los mejores, o sea, por los que poseen una propiedad,* como declaró Boissy d'Anglas el 23 de junio.

La Constitución del Año III

El 22 de agosto de 1795 –5 de fructidor–, la Convención adoptó la Constitución llamada del Año III, aprobada en referéndum el 23 de septiembre, por 1.057.390 votos afirmativos contra 49.978 negativos y con la enorme abstención de 5.000.000. El texto, extenso y preciso, iba precedido de una Declaración de los *derechos y deberes,* que rompía claramente con la teoría política del derecho natural universal proclamada en 1789 y desarrollada en 1793. No puede afirmarse, por tanto, que el régimen de la Constitución de 1795 fuera una vuelta a los principios de 1789, contra los que la nueva Declaración construía una teoría política autoritaria destinada a restaurar la *aristocracia de los ricos,* después de la experiencia adquirida desde los acontecimientos de 1789.

Reducía los derechos naturales del hombre a los derechos burgueses, a los derechos del *hombre en sociedad,* suprimiendo el derecho al trabajo, a la asistencia, a la instrucción, a la insurrección y a la felicidad; y convertía la política en la garantía del orden económico, puesto que se afirmaba que los hombres eran *desiguales por naturaleza.* Era el fin de la utopía revolucionaria, la expresa manifestación del egoísmo de la República burguesa, aunque también de su voluntad inquebrantable de mantener la abolición del feudalismo y las conquistas de 1789, estableciéndose, además, la separación de la Iglesia y el Estado.

La Constitución de 1795 inauguraba, pues, un sistema político censitario mucho más estrechamente burgués que el de 1791, y los que no tenían derecho al voto –reservado a los que pagaban un impuesto directo– no eran *ciudadanos,* ni siquiera *pasivos.*

Sólo 30.000 electores –la mitad que en 1791–, o sea, los ricos –propietarios rurales y burguesía urbana (propietaria o no)–, elegían en las Asambleas Electorales a los diputados de las Asambleas Legislativas, a los jueces y administradores de los departamentos y a los jurados del Tribunal Supremo de Justicia.

El poder legislativo estaba constituido por dos Cámaras, como reflejo del miedo a que se convirtiera, como durante la Convención, en una dictadura de Asamblea. Eran éstas el *Consejo de los Quinientos,* que proponía las leyes, y el *Consejo de los Ancianos,* formado por 250 miembros de más de 40 años, que debía sancionarlas o rechazarlas. El poder ejecutivo se confiaba a un *Directorio* de cinco miembros, elegidos por los Consejos para un período de cinco años, y renovables en su quinta parte cada año. Al Directorio correspondía nombrar los ministros, reforzándose el centralismo de la disuelta Convención, al situar al frente de cada departamento un comisario designado por el Directorio mediante el procedimiento de cooptación, o sea, entre los nombres integrantes de las listas presentadas por los ciudadanos de cada departamento, lo que permitía la formación de una clientela política a escala nacional y sería un claro precedente del sistema napoleónico de prefectos y subprefectos.

Para reforzar el control gubernamental, se había establecido además –el 18 de agosto de 1795– el decreto por el cual dos tercios de los miembros de los nuevos Con-sejos legislativos debían ser escogidos obligatoriamente de entre los miembros de la Convención. Pese a estas precauciones, la enorme abstención y el creciente peso de los realistas en las Asambleas Electorales, produjeron la constante inestabilidad del régimen y llevó a la práctica sistemática

Las masacres de septiembre, detalle de una acuarela de Béricourt, París, M. Carnavalet

de los golpes de Estado, fracasando así el ideal perseguido de obtener una reconciliación nacional a expensas de los jacobinos y del movimiento popular, ya que el Directorio vivió siempre bajo la amenaza contrarrevolucionaria.

La Constitución de 1795 fue la primera de carácter republicano aplicada en Francia, una vez disuelta la Convención el 26 de octubre de 1795. Pero esta *República de propietarios* que fue el Directorio quería dirigir de modo autoritario –contra la democracia y contra la dictadura– el régimen liberal, pero tuvo que hacerlo en un contexto de una grave crisis económica y social. La nueva legalidad instaurada se vio marcada durante los cuatro años de su mandato por la violencia, la anarquía y el temor de las autoridades. Antes incluso de entrar en funcionamiento el Directorio el 3 de noviembre de 1795, el Gobierno tuvo que hacer frente en octubre a la insurrección realista que cercó la salida de la Convención, vencida gracias a la intervención del ejército, y de Napoleón Bonaparte, nombrado general a raíz de estos sucesos, que fueron el inicio de su meteórica carrera.

La oposición a un régimen inseguro e ineficaz fue creciendo, al tiempo que disminuía el efectivo numérico de sus militantes y se multiplicaban los desacuerdos políticos. Si la estructura creada en el Año III estaba condenada a medio plazo, fue sin embargo de una eficacia inmediata para ganar la batalla por el poder y el control del Estado frente al jacobinismo. Sirvió también para que se desarrollase una nueva visión entre los revolucionarios más radicales, aquellos que no aceptaban las proclamaciones termidorianas que hacían de la propiedad y su corolario, el liberalismo económico, el eje de la nueva construcción constitucional y que tampoco creían que la igualdad fuese una quimera.

Babeuf y la *Conjuración de los Iguales*

Surgió entonces, entre la primavera de 1795 y mayo de 1796, la llamada *Conjuración de los Iguales* de Gracchus Babeuf y sus amigos, entre otros, Charles Germain y

Sylvain Maréchal. A ellos se unieron antiguos robespierristas, algunos de ellos *terroristas* muy destacados durante el Año II: Amar y Vadier, líderes del Comité de Seguridad General; Robert Lindet, el financiero del gran Comité de Salud Pública; Drouet, el hombre que descubrió al rey en su huida a Varennes; el italiano Buonarrotti, ex-comisario político en Córcega y Liguria, y otros robespierristas menos célebres, como Darthé y Félix Le Peletier. Al consumarse la ruptura entre la burguesía y las capas populares, la conspiración igualitaria del Año IV definió un programa comunista y una estrategia insurreccional de naturaleza nueva.

Su programa fue dado a conocer en dos manifiestos: el de *los Plebeyos,* publicado por Babeuf en el número 34 de su periódico, *El Tribuno del Pueblo,* el 30 de noviembre de 1795; y otro, menos preciso y riguroso, pero que sirvió para darles nombre, el *Manifiesto de los Iguales,* redactado por Sylvain Maréchal poco antes de ser descubierta la conspiración en mayo de 1796. Lo verdaderamente importante de ambos es que son los primeros documentos comunistas, obras de la Revolución, puesto que enlazaban con la tradicional exigencia igualitaria del movimiento popular presente durante la misma, pero que los Iguales plantearon en términos radicalmente nuevos, superando así el marco teórico rusoniano y las utopías de *las luces,* en las que sin embargo se inspiraron.

Su propuesta no era el reparto igualitario sino un comunismo distributivo y de organización colectiva del trabajo fundado en la comunidad de bienes, cuyo fin último era la *igualdad de goces.* Constataban que después de seis años de Revolución, la secular desigualdad entre el pueblo y la élite se mantenía, pese a las promesas y los principios, y denunciaban en consecuencia sus fundamentos permanentes: el dominio de la propiedad privada, a la que oponían la *igualdad perfecta*, definida esencialmente por las comunidades rurales, que Babeuf conocía bien por su trabajo en Picardía en la confección de los *terriers*, es decir las recopilaciones hechas en los señoríos de los derechos feudo-señoriales que gravaban sus tierras.

Al querer convertir la igualdad civil en la plena igualdad social, Babeuf se alejaba de Robespierre, pero su proyecto era claramente una continuación de la obra de éste, puesto que permanecía en el ámbito de la temática jacobina al continuar creyendo en la acción social de la revolución política.

También por sus comunes fuentes del igualitarismo agrario del siglo XVIII –Mably Morelly–, aunque no compartía plenamente las ideas de Rousseau, del que Babeuf aceptaba sus teorías sobre el origen de la desigualdad y sobre la voluntad general, pero cuyo pesimismo filosófico rechazaba, como también el culto al Ser Supremo del Año II.

La cuestión era, sobre todo, que antes de 1796 se trataba menos de igualar la propiedad de los bienes de producción que de asegurar a las masas populares el poder vivir dignamente –derecho al trabajo, a la asistencia y a la instrucción–, lo cual implicaba también resolver la crisis agraria y urbana. El ejemplo de la requisa de mercancías y de su distribución por el ejército y las municipalidades entre la población durante el Año II, pesó notablemente en la teoría del comunismo distributivo que sostenía Babeuf, mostrándole que no era una mera utopía irrealizable. En ese sentido puede afirmarse que el programa económico de la *Conjuración de los Iguales* era menos un programa adaptado a las circunstancias que una ideología formada por la experiencia, y que en en el caso de Babeuf, su comunismo aparece antes incluso que la Revolución.

Sin embargo, participó en la coalición antirrobespierrista del 9 termidor de 1794, que no se mostraba claramente en su significado actual ni para él ni para muchos *sans-culottes,* que habían visto al Comité de Salud Pública destruir paralelamente el movimiento dantonista y al suyo propio. Creyeron que había llegado la libertad cuando las prisiones se abrieron para *modernos* y aristócratas, pero también para los partidarios de la igualdad social y de la democracia *sans-culotte.* En medio de esta euforia común a burgueses y masas populares, Babeuf se convirtió en un ardiente *antiterrorista,* e incluso aceptó fondos del antiguo *terrorista* Guffroy, convertido en uno de los pilares del antirrobespierrismo, que le permitieron editar su periódico, que siguió elaborando desde el verano de 1794 y hasta el día 24 de abril de 1796. El período postermidoriano fue para Babeuf una terrible lección de sabiduría política, hasta que a finales del otoño de 1794 tomó conciencia del sentido reaccionario de la caída del *Incorruptible* y, detenido a causa de su propaganda insurreccional en febrero de 1795, elaboró a partir de entonces el programa de la *Conspiración de los Iguales,* primer ejemplo en la historia de una organización de *vanguardia* revolucionaria semiclandestina que intentó hacer de la idea comunista una fuerza política.

No sólo en cuanto a sus objetivos, sino también por los medios que concibieron para conseguirlos, los *Iguales* supusieron un cambio cualitativo respecto a los métodos y prácticas desarrollados por el movimiento popular durante la Revolución.

Ante la desarticulación de las organizaciones populares a principios de 1795, manifestada en las derrotas de la primavera, Babeuf consideraba que los derechos específicos del pueblo se habían perdido y que había que reconquistarlos por la fuerza. Se pasaba así de una concepción ofensiva a una visión defensiva, en la que el movimiento revolucionario se replegó a un estado conspirativo para preparar en la clandestinidad la vía insurreccional hacia la toma del poder por el pueblo, cuestión nunca planteada ni por *sans-culottes* ni por *enragés*.

Todo ello representaba una gran diferencia con respecto al movimiento popular de tipo antiguo que había culminado en el Año II y fue eliminado en abril y mayo de 1795, haciendo perder a Babeuf la confianza en la espontaneidad de las acciones populares. Así, la *Conjuración de los Iguales*, conspiración organizativa por excelencia –el grupo dirigente conecta con el movimiento de masas a través de un pequeño número de militantes experimentados– que no logró obtener el apoyo de la población, sucedió a las insurrecciones de abril y mayo de 1795 cuando las masas populares habían carecido de organización y de verdaderos jefes.

Por eso, el babuvismo cobrará toda su importancia en los siglos XIX y XX, ya que durante el Directorio los *Iguales* protagonizaron un mero episodio. Pero de hecho representó la única alternativa de poder claramente manifiesta, en el campo revolucionario, a la burguesía termidoriana –los ricos–, designada como enemigo *opresor* del pueblo –los pobres–, como *nueva aristocracia de la riqueza y burguesía propietaria*.

La Conjuración estuvo formada por un pequeño grupo de babuvistas comunistas y otro más numeroso de demócratas avanzados y terroristas no arrepentidos que pudieron organizarse gracias a la tolerancia manifestada para con el *Club del Panteón* de París, abierto en el invierno de 1795-1796 y que tuvo pronto unos 2.000 miembros. La audiencia de los babuvistas en el seno del mismo, que por su alta cotización era frecuentado por un público mayoritario de patriotas burgueses, se prolongaba en provincias con la difusión de su periódico y manifiestos. Al cerrarse el *Club* el 27 de febrero de 1796 –por Bonaparte, jefe del ejército del Interior– formaron seguidamente un Directorio secreto –Babeuf, Antonelle, Maréchal, Le Peletier, Buonarrotti, Darthé y Debon– que organizó el *complot* con toda minuciosidad. Trataban de conectar con la sociedad, sin olvidar al ejército, calculando que podía disponer de unos 17.000 hombres –100.000 en provincias– para la insurrección en París.

La composición social de sus simpatizantes –abonados a su propaganda– era muy diversa, desde burgueses a *sans-culottes,* si bien las listas parisinas mostraban un predominio del mundo artesanal y del pequeño comercio y una minoría de los dos extremos, burgueses y proletarios. El desfase ideológico entre el núcleo dirigente y sus partidarios, quedaba compensado por la crítica clara y radical del régimen del Directorio.

Algunos de los miembros de éste, como Barras y Tallien, trataron de utilizar en su beneficio y contra el peligro realista a los *Iguales,* pero éstos rechazaron toda componenda. A la mayoría de los miembros del Gobierno le fue preocupando cada vez más este nuevo peligro para el orden social; por lo que la red sectaria fue desarticulada en abril de 1796 y sus principales dirigentes fueron detenidos un mes más tarde. Mientras aguardaban su proceso, los demócratas parisinos intentaron el 9 de septiembre una tentativa insurreccional en el campo de Grenelle para la que pensaban poder contar con los soldados de algunos regimientos. La provocación policial tuvo algo que ver en esta acción, que constituyó un fracaso y generó una dura represión –30 ejecuciones– que terminó de decapitar al movimiento babuvista, sin haber conseguido éste el apoyo de los sectores populares.

El proceso de los detenidos en la primavera de 1796 –47 acusados, de los que 23 no formaban parte de la conspiración– se desarrolló en Vendôme entre febrero y mayo de 1797. El Directorio esgrimió ante la opinión pública el espectro del comunismo de reparto, contribuyendo paradójicamente a la difusión de las ideas de Babeuf, al que condenó a muerte con Darthé. En su mayor parte los acusados fueron

Familia de *sans-culottes*, París, Museo Carnavalet

liberados y siete de los principales militantes deportados, entre ellos F. Buo-narrotti. Éste, en 1828, transmitió a la historia sus recuerdos sobre la conjuración al escribir su libro *Cons-piración para la igualdad, llamada de Babeuf.*

La política del Directorio

El régimen establecido por la Constitución de 1795 mostró durante el tiempo que duró –de

noviembre de 1795 a noviembre de 1799–, los problemas que planteaba el funcionamiento de un modo concreto de gobierno concebido en un principio como el más apto para servir los intereses de la burguesía revolucionaria. Era ésta aún una clase en formación, diferente en su composición social e ideológica de la de 1789, pero que seguía teniendo que luchar para obtener la parte de poder que juzgaba corresponderle en función de su participación económica en la dirección del Estado, y para asegurar lo conseguido, después de más de siete años de Revolución, de la que ella era su principal beneficiaria.

Entre el personal dirigente directorial, apenas se encuentran las categorías más propiamente burguesas –negociantes, armadores, banqueros e industriales–, las cuales contaban con mayores dificultades para abandonar sus negocios y dedicarse a la gestión de los asuntos políticos que, por ejemplo, los hombres de leyes o de las profesiones liberales, que eran quienes dominaban en las Asambleas. Existía, sin embargo, un profundo acuerdo entre el conjunto de la burguesía –definida sobre todo por su condición de propietaria– respecto a la estrategia a seguir: evitar la vuelta del Antiguo Régimen e impedir el paso a otras fuerzas políticas que pusieran en cuestión su preponderancia económica y conservadurismo social. Situado entre estos dos peligros, el Directorio se vio abocado a una política de báscula, ambigua y contradictoria. Esto dificulta la comprensión de las vicisitudes políticas por las que pasó, que dan prueba de las divergencias tácticas y contradicciones internas existentes en el seno de esta nueva burguesía que había inspirado el texto constitucional del Año III, pero que ya aparece dividida durante el IV –1796– en la política gubernamental.

La primera dificultad surgió precisamente de una distinta valoración en cada momento concreto acerca de cuál era el peligro mayor: si la contrarrevolución o aquellos que creían podían amenazar las adquisiciones de la burguesía propietaria. Ello explica la evolución que se produjo después de las elecciones legislativas del Año V –1797–, en las que predominaron las fuerzas más reaccionarias como reflejo del miedo producido por la *Conju-ración de los Iguales*, lo que exigía una rectificación. En torno a esta necesidad de la misma, hubo actitudes tan contrapuestas como las de un Merlin de Douai, que fue ministro de Justicia primero y miembro del Directorio entre 1797 y junio de 1799. Sería elegido después de su cooperación al golpe de Estado del 4 de septiembre de 1797 –18 fructidor Año V–, y se mostrará ante todo preocupado por el peso de los realistas. O el caso de un Boissy d'Anglas, portavoz de la derecha entre 1795 y 1797 en el Consejo de los Quinientos, hasta su huida a Inglaterra después del triunfo del 18 fructidor. Éste priorizaría la lucha por erradicar las doctrinas comunitarias. El repetido conflicto entre el ejecutivo y el legislativo, no previsto por la Constitución, conducía a una parálisis total, y los miembros del Directorio practicaron desde el principio el recurso al ejército, fiel al sentimiento republicano.

De este modo, la Constitución del Año III sólo fue aplicada correctamente durante dos años, hasta septiembre de 1797, cuando se produjo un viraje a la izquierda y se inició el llamado *segundo Directorio*. Fue el período del *Terror directorial*, después del golpe de Estado del 18 fructidor –4 septiembre 1797– dirigido contra los realistas y monárquicos constitucionales, mayoritarios en los Consejos y minoritarios en el Gobierno, y que fue ejecutado por la mayoría

Juicio revolucionario en una litografía de la *Historia de Europa,* de E. Castelar

republicana del Directorio con la intervención del ejército. Desde entonces, la historia del Gobierno sería la de los sucesivos golpes de Estado, cuatro en total, con participación militar directa en el primero y en el último. El segundo se produjo el 22 floreal Año VI –11 de mayo 1798–, con la eliminación ilegal de los diputados neojacobinos elegidos en los Consejos legislativos. El tercero, el 30 prairial Año VII –48 junio 1799–, con la dimisión de la mayoría directorial, exigida por los jacobinos del legislativo, después del nuevo éxito de éstos en las elecciones de mayo-junio de 1799, facilitado por el auge contrarrevolucionario y las derrotas sufridas en Italia. Esta nueva situación propició una alianza entre republicanos moderados y neojacobinos que acabó en la revisión constitucional, dirigida por Sieyès, en un sentido favorable al ejecutivo y por último, en el golpe de Estado del 18 brumario del Año VIII –9 noviembre 1799–, realizado por Napoleón con la complicidad de dos miembros del Directorio y de varios integrantes del Consejo de Ancianos.

La otra gran contradicción táctica del Directorio se manifestó en torno al problema crucial planteado entre el mantenimiento de la guerra o la consecución de la paz. De hecho, era necesario acabar con los enfrentamientos bélicos si se quería conseguir la estabilidad política y económica del régimen, puesto que el liberalismo económico implantado se mostraba ineficaz para los objetivos de una economía de guerra. Esto sólo sería factible si se ponían en marcha los resortes económicos, financieros y humanos que hacían falta y que únicamente podían imponerse mediante un poder fuerte y dictatorial.

Sin embargo, el imperialismo político de la Francia revolucionaria era defendido por los sectores más radicales y republicanos de la clase dirigente, en los que se mezclaban la ideología conquistadora de la *Gran Nación* y el estrecho interés de clase en torno a los beneficios especulativos que permitía la guerra. Ésta, al mismo tiempo, alimentaba al país, sumido en una catástrofe financiera al abandonarse la economía dirigida del Año II. Pero la situación bélica terminaría arruinando el proyecto de gobierno de la burguesía termidoriana-directorial, por las pocas garantías que ofrecía un régimen que precisaba de la paz para ser viable.

La oposición: realistas, monárquicos constitucionales y neojacobinos

El régimen directorial tendió en más de una ocasión a unir las dos oposiciones con las que se enfrentaba, los *blancos y los azules* –contrarrevolucionarios y neojacobinos– al denunciar su común objetivo de destruir la República, en perjuicio de las respectivas posiciones de estas fuerzas políticas. Aunque existieron un centro, una derecha y una izquierda, la sociedad francesa no permitía todavía el funcionamiento de un sistema de partidos, al prolongarse todavía los fuertes antagonismos desarrollados desde 1789 y al estar formándose aún las nuevas élites que dominarían durante el siglo XIX.

Los *realistas* intentaron realmente destruir el régimen, tanto por la vía legal de las elecciones como por el recurso a la fuerza, multiplicando las *vendées* en las provincias, de cara a una insurrección generalizada que contaría con la ayuda de la coalición extranjera. Sus partidarios se reclutaban entre la nobleza –emigrada o no–, pero también entre sectores burgueses –rentistas empobrecidos, *federalistas,* algunos notables– y, mayoritariamente, entre jóvenes de la pequeña burguesía –bajo clero incluido– y campesinos, en una mezcla antirrepublicana basada en motivos económicos, culturales, religiosos y militares –rechazo al reclutamiento–. Pese a la existencia de diversas redes de espionaje, los dirigentes de la contrarrevolución no aportaron una suficiente cohesión del movimiento ni un apoyo eficaz del exterior. Y sobre todo, se hallaban divididos, tanto respecto al candidato al trono como en relación al proyecto político.

Unos apoyaban al conde de Provenza y otros, los ultrarreaccionarios, querían restablecer totalmente la situación anterior a 1789, al otro hermano de Luis XVI y futuro Carlos X, el conde d'Artois. A ellos hay que añadir los monárquicos constitucionales, *fayettistas*, quienes apoyaban a la rama menor de la Monarquía, la de Orleans. Pese a su fracaso final, consiguieron en algunas zonas –oeste, suroeste y sureste– ganar para su causa o coincidir con diversas capas populares que mostraban resistencias de diverso tipo a la Revolución, lo que explica el temor efectivo que suscitó la contrarrevolución en el Directorio y también entre los llamados *neojacobinos.*

Estos últimos, los jacobinos de los años VI, VII y VIII –1798-1799–, mal conocidos por la historiografía y denigrados por el Gobierno directorial, formaban un grupo heterogéneo y minoritario después de su derrota en 1795, rematada con el fracaso de la *Conjuración de los Iguales.* Lo componían hombres de orígenes sociales diversos, antiguos jacobinos o *sans-culottes,* algunos de los cuales habían ejercido funciones políticas y administrativas en 1793-1794; ex-convencionales, como Barère; babuvistas que querían repetir la tentativa de Babeuf. También había jóvenes republicanos educados por sus padres en el recuerdo nostálgico del Año II y en la lucha por el sufragio universal, que intentaban resucitar los clubes en el seno de los nuevos círculos constitucionales que se fueron creando durante el Directorio y, finalmente, legalistas que no querían ser amalgamados con los *anarquistas.* Hasta la crisis del

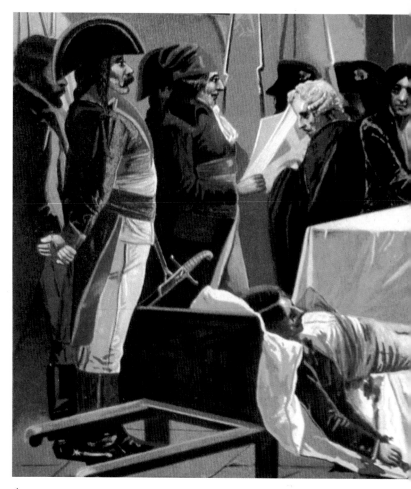

Última noche de los girondinos, escena de la *Historia de Europa,* de E. Castelar

verano de 1799, no todos preconizaban la fuerza contra el régimen y sí, en cambio, había una mayoría que proclamaba el respeto a la legalidad republicana representada entonces por la Constitución del Año III. Se lograba así una unanimidad en torno a la exigencia de control del poder ejecutivo por parte del legislativo, y a la defensa a ultranza de la República frente a la guerra exterior y la contrarrevolución.

Su expresión electoral se vio favorecida en 1798 por la inquietud del Directorio ante la extensión del realismo, hasta que este ascenso de la izquierda provocó el golpe de Estado del 11 de mayo de 1798 –floreal Año VI–. Lograron, sin embargo, recuperarse gracias al descontento que la ineficacia del Gobierno producía, pudiendo conseguir en las elecciones que tuvieron lugar un año más tarde numerosos diputados en el Consejo de los Quinientos, y jugar así un papel político importante entre junio y septiembre de 1799.

Fue un período que recordaba por su situación interior y exterior al trágico verano de 1793, cuando el país se vio asediado en sus fronteras y el Gobierno acosado por sus enemigos de dentro.

Los jacobinos pidieron responsabilidades principalmente a tres miembros del Directorio: a los abogados Treilhard y Merlin y al propietario La Révellière, mientras que los otros dos, el militar y ex-noble Barras y el antiguo abate Sieyès, apoyaron la maniobra que forzó la dimisión de Treilhard primero y luego de La Révellière y Merlin, en el golpe parlamentario del 30 prairial Año VII, 18 de junio de 1799.

Era el triunfo de una coalición en la que habían coincidido moderados y jacobinos, y de la que éstos consiguieron una reestructuración ministerial y administrativa que depuró a Talleyrand y nombró ministro de Hacienda a Robert Lindet, antiguo miembro del Comité de Salud Pública, comprometido luego en la conjuración babuvista.

Obtuvieron asimismo una serie de medidas de excepción, como el préstamo forzoso sobre los ricos, exigencias de ayuda al Estado hechas a los banqueros y a los abastecedores del ejército, levas militares más numerosas –sin reemplazo posible–, una organización más eficaz de la Guardia Nacional y una intensificación de la represión en los departamentos afectados por las sublevaciones realistas.

El 6 de julio de 1799 se abrió en París un club jacobino, que tuvo pronto unos 3.000 miembros, entre ellos 250 diputados, e intentó, sin conseguirlo, comunicar con las provincias para desarrollar una estrategia co-mún. Sieyès y el ministro de policía y antiguo *terrorista*, Fouché, intentaron desde julio de 1799 frenar por todos los medios esta ofensiva jacobina, logrando dividirlos y cerrar su club en agosto de 1799. Mientras, en provincias los generales que estaban al mando de las divisiones militares no dejaban de enviar informes describiendo los continuos choques entre realistas y jacobinos. En este contexto los revisionistas prepararon la rectificación del texto constitucional y el golpe de Estado del 18 brumario.

La situación financiera y económica

El período directorial empezó bajo el signo de la crisis financiera que agravó los efectos de la crisis de subsistencias existente desde la anterior primavera de 1795. La inflación y devaluación del papel-moneda había crecido durante el verano al multiplicarse las emisiones de asignados desde la abolición de la economía dirigida. Por su propia naturaleza, el régimen no podía recurrir ni al *maximum* ni al aumento de impuestos, pero se vio obligado a imponer medidas coercitivas: requisas, obligación de vender en los mercados, leyes sobre el comercio de granos y préstamo forzoso sobre los contribuyentes. Pero esto causó descontento entre la burguesía y constituyó un fracaso al no existir los medios –ni legales ni represivos– para llevarlas a cabo.

Como remedio, se intentó sustituir el asignado, el 18 de marzo de 1796, por un nuevo billete, el *mandato territorial,* utilizable para la compra de los bienes nacionales y que podía cambiarse por los asignados sobre la base de 30 por 1, lo que era favorable para los asignados y desvalorizaba el oro. Se reprodujeron los mismos problemas: el 20 de abril el nuevo papel ya había perdido el 90 por 100 de su valor; el 17 de julio se reconocía el doble curso de mercancías en mandatos y numerario, y a principios de 1797 el mandato no se cotizaba más que al 1 por 100 de su valor nominal inicial, por lo que tuvo que retirarse de la circulación, volviéndose a la moneda metálica.

La situación se invirtió y a la inflación anterior siguió la deflación, con el atesoramiento del oro y la plata y el encarecimiento del dinero debido a su escasez, con gran perjuicio de las actividades productivas. Sólo las buenas cosechas de 1796 y 1797, la recuperación del comercio exterior desde 1797 y, sobre todo, el pillaje de los territorios ocupados por la guerra de conquista, permitieron la entrada y circulación de numerario. La estabilización monetaria que dio fin a la crisis económica heredada de la Revolución, no se conseguiría hasta Napoleón, cuando en 1803 se abolió la distinción establecida entre moneda de cuenta y moneda real al crearse el franco, cuyo valor quedó inscrito en 5,90 gramos de plata.

La recuperación financiera reposaba, no obstante, sobre bases económicas frágiles: el comercio exterior se redujo a la mitad entre 1797-1799 en relación a 1787 y la producción industrial bajó, hundiéndose los sectores más tradicionales del textil. Sin embargo, el fortalecimiento del poder ejecutivo y la relativa paz en el exterior, permitieron la reconstrucción del país desde los últimos meses de 1797; se aligeró la deuda pública, se mejoró el rendimiento del sistema de contribuciones y se intentó modernizar la producción agrícola e industrial.

A ello contribuyeron en gran manera algunos dirigentes directoriales, como el ministro del Interior, François de Neufchâteau, que comprendió la necesidad de aplicar el uso de la estadística para una buena gestión

Representación de Jean-Paul Marat en una tribuna, según un grabado de la época

económica estatal y que organizó en 1798 en París una exposición nacional para favorecer el espíritu de innovación técnica entre los manufactureros. Por tanto, si bien durante 1797 y 1798 perduraban los signos de marasmo industrial, no afectaban ni a todas las regiones ni a todos los sectores. Se hundió el comercio atlántico y colonial y las industrias de exportación hacia América y el Mediterráneo, pero los empresarios más competitivos

–algunas compañías mineras y siderúrgicas– y las regiones mejor situadas –París, Lille, Alsacia, Rouen– consiguieron mantener el sector piloto de la economía en niveles positivos.

El fin de la guerra se esperaba desde la primavera de 1795 y, en el proyecto gubernamental que se estaba forjando desde entonces en torno a la Constitución del Año III, no entraba la política expansiva imperialista que se desarrolló durante el Directorio. Francia se rodeó –en contra de los principios revolucionarios que preconizaban el derecho de los pueblos a disponer de sí mismos–, de un cinturón de *repúblicas hermanas* después de la paz de Campoformio en octubre de 1797. Este tratado fue obra de Bonaparte pero el Gobierno lo ratificó, aunque transgredía las instrucciones del Directorio. De todas formas, la guerra parecía inevitable mientras las potencias europeas rechazasen la anexión de Bélgica y de la orilla izquierda del Rin y los planes belicistas de los enemigos interiores de la Revolución se mantuvieran en pie.

La extensión de la guerra. La segunda coalición

Aun así, durante el Año IV –1795-1796– el objetivo fundamental había sido la derrota de Austria, el último enemigo continental de Francia y el postrer aliado europeo de Inglaterra. Con las victorias de Napoleón en el norte de Italia, la paz empezó a pactarse con Inglaterra en octubre de 1796, si bien la exigencia por ésta de la evacuación de Bélgica rompió las negociaciones. Al mismo tiempo, la campaña de Italia había ya planteado la cuestión fundamental: aprovechar la ocupación de los vastos territorios *liberados* para financiar la propia guerra recurriendo al pillaje, a la requisa y a las contribuciones.

Como en el Antiguo Régimen, desde 1795 se estaba imponiendo la idea de que *la guerra debe alimentar a la guerra,* y la extensión de ésta multiplicó a su vez las necesidades, con operaciones cada vez más lejanas y costosas, que escasamente podían atenderse con los beneficios obtenidos del propio conflicto. El enriquecimiento rápido y escandaloso de unos cuantos y las ventajas inmediatas para la política económica del Gobierno directorial –el dinero enviado por Napoleón desde Italia permitió la vuelta a la moneda metálica en Francia–, no guardaba proporción con los perjuicios que la perpetuación de los conflictos bélicos ocasionó al Directorio entre 1797-1799.

Pero por el momento, el aflujo de riquezas en monedas, productos alimenticios y obras científicas y de arte, llevó a la proliferación de compañías privadas –creadas desde noviembre de 1795– que se encargaron de proporcionar los recursos a los ejércitos y de la transferencia a Francia de los bienes materiales conquistados. Dirigidas por especuladores conectados con banqueros que adelantaban el dinero necesario, se hicieron fortunas fabulosas durante el Directorio, recurriendo con frecuencia al fraude y a la malversación, con el consiguiente desprestigio del régimen y la vinculación de estas compañías al poder en ascenso de los militares, cuyas campañas financiaban.

En la primavera de 1799 se formó la segunda coalición contra Francia por parte de Inglaterra, Rusia, Turquía, el rey de Nápoles –desde Sicilia– y Austria, y la extensión de la guerra exigió mayores sacrificios. Bonaparte estaba en la campaña de Egipto, incomunicado con Francia, mientras las derrotas en Italia se sucedían una tras otra. El Directorio tomó medidas de excepción, insuficientes sin embargo, para armar, alimentar y pagar a los soldados, puesto que la mayoría parlamentaria se negó a apoyar la propuesta del general Jourdan de proclamar *la patria en peligro,* como en 1793.

Además, entre 1795 y 1799 el ejército ya no era el mismo que el que constituyeran los soldados-ciudadanos del Año II. Había ido desligándose poco a poco de la nación y convirtiéndose en un ejército profesional, a merced por tanto de sus generales, que lo emplearon como un medio de presión política, tanto en Francia como en los países ocupados. Entre ellos, varios dieron signos de querer –como reclamaban también algunos de sus subordinados– militarizar la sociedad para mantenerla republicana. El hecho era, sin embargo, que, abocado a una guerra que lo llevaba a actuar cada vez más en países extranjeros, el ejército había agotado sus posibilidades de reclutamiento nacional. En 1798 se votó el servicio militar obligatorio para los jóvenes de 20 a 25 años –*ley Jourdan,* de 5 de septiembre–, pero las levas seguían siendo lentas y las deserciones no cesaron.

El Directorio intentó ejercer su autoridad sobre el ejército mediante dispositivos que vigilasen a los generales, mantuviesen la disciplina de la tropa y asegurasen la administración de los países ocupados. Pero los generales fueron teniendo cada vez más poder, ya que contaban con la fuerza de las armas, las riquezas de los países conquistados y con ello el control financiero, administrativo y de promoción de los cuadros de sus respectivos ejércitos. Y también, una progresiva influencia sobre sus soldados, desarraigados de una patria en la que veían recompensados solamente a quienes especulaban a su costa. El patriotismo subversivo del Año II fue aprovechado por los generales para transformarlo en la ideología nacionalista y conquistadora de la *Gran Nación, lo* que beneficiaba en

Golpe de Estado del 18 brumario, escena de la *Historia de Europa,* de E. Castelar

primer lugar a ellos mismos. Al afirmar la autonomía de la soberanía nacional de Francia y situarla por encima del derecho natural de los pueblos al autogobierno, quedaba justificada toda medida política que estos mandos militares hicieran en nombre del interés nacional, con la correspondiente militarización de la sociedad y del Gobierno.

Una nueva sociedad burguesa

Durante el período 1795-1799 fue asentándose el nuevo marco social surgido de la Revolución y que, aún no totalmente fijado hacia 1800, iría estabilizándose y afirmándose durante el Consulado y el Imperio, con el surgimiento de unas nuevas élites. Éstas eran diferentes de las anteriores a 1789, fruto de su fusión con las antiguas, una vez suprimidos el feudalismo y los privilegios. El Directorio supuso una etapa importante en este proceso, debido a los cambios económicos y financieros producidos en esos años.

El retorno a la economía de mercado permitió la reorganización de importantes núcleos burgueses de negocios y dinastías de empresarios que habían sobrevivido al torbellino revolucionario. Los sectores más propiamente capitalistas dieron muestras desde 1797 de una recuperación modesta, y la legislación favoreció la creación de nuevas capas burguesas, en torno a la financiación de los ejércitos, al pillaje de las conquistas y, sobre todo, gracias a la actividad especuladora del papel moneda devaluado y las facilidades en las subastas de los *Bienes Nacionales,* de la Iglesia y también todavía de los emigrados.

De la compra de tierras se beneficiaron asimismo elementos procedentes de la pequeña burguesía de oficios o rural, si bien fue la alta burguesía urbana la más enriquecida y la que tendía a formar la *sociedad de Notables* de la etapa napoleónica, en la que se integraría gran parte de la antigua nobleza. La burguesía propietaria fue por tanto la que salió fortalecida, pero no existió oposición entre terratenientes y capitalistas, ya que todas las categorías burguesas invirtieron en tierras, incluidas las más minoritarias, que estaban ligadas al capital comercial, financiero e industrial. Ello resultaba lógico, puesto que la inflación y las incertidumbres del momento convirtieron la adquisición de *Bienes Nacionales* en un valor-refugio del dinero, base segura además de un crédito hipotecario que se necesitaría para futuras inversiones de distinta naturaleza.

El equilibrio interno de la burguesía se modificó, en perjuicio de los sectores tradicionales y menos dados arriesgados, a favor de los nuevos ricos, más especuladores y con menos escrúpulos. Pero ése no fue el caso de todos, pues hubo quienes unieron a la audacia una colocación más fecunda de sus capitales en el negocio o la manufactura. Esta burguesía en gestación tenía más que nunca el objetivo de hacer del Estado un instrumento de sus intereses. Por ello dejaría en consecuencia de prestar su apoyo al régimen que había elegido para consolidarlos y que aparecía cada vez menos adaptado a una coyuntura histórica marcada por el desarrollo del imperialismo político francés.

Las diferencias sociales se hicieron más notorias entre ricos y enriquecidos por un lado, y pobres y empobrecidos –la población del campo y la ciudad y rentistas arruinados– por otro. Si bien la propiedad campesina se asentó y la base social del régimen era más amplia que al principio de la Revolución, los campesinos pobres siguieron sin ser atendidos en sus

Robespierre derrotado, imagen de una litografía de la *Historia de Europa*, 1896-1901

reivindicaciones sobre el acceso a la tierra y la rebaja de los contratos de arrendamiento y aparcería. El compromiso establecido con la burguesía durante la Revolución quedó inacabado, después de la abolición total del feudalismo en 1793. El Directorio eliminó en 1796 la legislación jacobina favorable a los campesinos pobres, suprimió la venta en pequeños lotes de los *Bienes Nacionales* y redujo el crédito para su compra de diez a tres años. Tuvo, sin embargo, que aceptar las recuperaciones hechas por la comunidad aldeana de las tierras usurpadas por los señores en el siglo XVIII, y transigir con la existencia de los bienes comunales y derechos colectivos.

Pero los conflictos surgieron en torno a la concesión de los mismos, como consecuencia de la creciente diferenciación social del campesinado. A ello contribuyó la inflación monetaria de 1795-1796 y el mantenimiento de los mercados rurales, que precipitaron la integración de numerosos campesinos en la economía mercantil. A unos como vendedores, y a otros como trabajadores en busca de un salario complementario que les permitiera comprar el grano encarecido. Los simples jornaleros sufrieron, como el pueblo llano de las ciudades, el ritmo de las fluctuaciones económicas, marcadas hasta 1796 por las malas cosechas y las crisis de subsistencias.

Las crisis del Año IV -1795-1796 acabaron de pauperizar a las masas urbanas, ya muy afectadas durante el año anterior. A las epidemias se unieron numerosos suicidios, alcanzando la mortalidad cifras altísimas, al igual que la prostitución y la criminalidad, a las que se añadirían algo después la proliferación del bandidaje y la de-serción. Con la supresión del papel-moneda y la inflación, vinieron años mejores que contribuyeron a evitar la degradación de las condiciones de vida de los obreros de las manufacturas textiles o siderúrgicas. Por el contrario, en las actividades artesanales e industrias tradicionales del textil y la construcción el paro se extendía, si bien de modo global puede afirmarse que los salarios se mantuvieron mejor que los precios. Pero la inseguridad como consumidores continuaba para estos sectores.

La eclosión de la nueva estructura social sobre las ruinas de la antigua sociedad de órdenes, que había encuadrado hasta entonces a los individuos en el seno de su gremio, comunidad aldeana o en su estado más o menos privilegiado, parecía dejar a sus miembros atomizados, expuestos a la iniciativa sin freno del interés individual. Nacía una sociedad que era también, para una minoría, alegre, mundana y licenciosa en sus costumbres; como ejemplo sirven las orgías de Mme. Tallien o de Josephine de Beauharnais con el corrupto Barras.

Aparecía una segregación social que se correspondía con la escolar, al privilegiarse la enseñanza secundaria en detrimento y abandono de la primaria, contrariamente a la etapa jacobina. Dos mundos, dos educaciones y dos culturas coexistían sin comprenderse, como si no hubiese quedado traza de la *revolución cultural* del Año II, tan anticipadora de las cuestiones más contemporáneas.

El Directorio mantuvo, sin embargo, las medidas de secularización de la vida civil, puesto que decretó la separación de la Iglesia y el Estado, aunque la ley del 21 de febrero de 1795 permitía la reconstitución de las Iglesias y el restablecimiento del culto. Se esbozó un renacimiento del catolicismo, que dio señales de una vigorosa resistencia a una legislación que se mostró pronto más hostil, al recrudecerse desde 1797 las proscripciones de los sacerdotes que habían regresado en 1795 y producirse una nueva ola descristianizadora que inquietó seriamente al clero constitucional por sus manifestaciones, más implacables, en algunos casos, que las del Año II. Algunos miembros del Directorio, caracterizados por su anticlericalismo, intentaron fundar un culto republicano, a imagen del Año II –la Teofilantropía– y generalizar las fiestas cívicas, pero no tuvieron gran éxito entre las masas, que no se sintieron integradas en esos rituales.

Tampoco hubo participación en el sistema político, apareciendo una sociedad despolitizada, que había visto generalizarse pocos años atrás el debate político en las familias, en la calle, en los pueblos... Y que había creado por primera vez estructuras democráticas, en las que los franceses iniciaron el aprendizaje de la ciudadanía. Se entiende que el ejercicio de ésta a nivel electoral quedase cercenado por un sufragio estrechamente censitario, reservado a las élites ricas y enriquecidas. A ello hay que añadir la *dessans-culottización* del movimiento popular y la ruptura de la unidad en el frente campesino, junto a las dificultades materiales para la supervivencia. Muchos de los conflictos sociales, religiosos o culturales, por otra parte, se estaban ventilando a nivel local en el marco de las sublevaciones realistas contra la burguesía republicana. Pero también se dio un gran abstencionismo en las elecciones –entre un 60 y un 80 por 100 en el primer grado– menor que en 1791, pero más fuerte que en 1792 con mayor asistencia a las elecciones locales que en las legislativas y cuando había algún asunto a decidir sobre la orientación política.

El complot revisionista: Sieyès y Napoleón

Una sociedad, en suma, que anunciaba en sus características fundamentales la época imperial pero que, recién salida del Terror, presentaba todavía grandes contrastes e inestabilidad, como correspondía a un período en el que todavía no se podía dar por concluido el proceso revolucionario.

La revisión de la Constitución de 1795 implicaba un golpe de fuerza, ya que su autotransformación legal exigía un complicado proceso de nueve años. El movimiento revisionista fue desarrollándose al mismo tiempo que la reacción antijacobina, desde el verano de 1799, en un contexto de miedo social de las élites propietarias, de descontento generalizado en todos los sectores de la sociedad, de derrotas en las fronteras y de insurrecciones realistas que estallaron con mayor fuerza

Escena que representa a María Antonieta ante el Tribunal

y de modo simultáneo en el oeste y el sudoeste. La coyuntura creada favoreció un clima involucionista propicio a una restauración monárquica, tanto en Francia como en los países ocupados.

La burguesía revolucionaria no tenía un programa que atendiese las reivindicaciones de los campesinos pobres, por lo que la agitación campesina era en algunos puntos, sobre todo en el oeste, un elemento importante en el refuerzo de las sublevaciones realistas. Pero éstas no

lograron aglutinar la heterogeneidad de su movimiento, que fue derrotado entre agosto y septiembre.

En el exterior del país, la marcha negativa de la guerra continuaba a finales del verano de 1799: el ejército francés, en un frente que se extendía desde Holanda al sur de Italia, tuvo que emprender la retirada por todas partes, manteniendo en Italia sólo la ocupación de Génova. Sin embargo, desde julio, un ejército mejor alimentado y un reclutamiento militar menos discutido que los anteriores, permitieron pasar a la ofensiva con éxitos importantes. En Suiza el general Masséna venció a las tropas rusas, y en Holanda el general Brune obligó a los anglo-rusos a deponer las armas. Cuando en octubre de 1799 Napoleón desembarcó en Provenza a su regreso de Egipto, la situación, aunque preocupante, no se presentaba tan catastrófica como la propaganda bonapartista pretendía.

No obstante, la hostilidad de las élites, base social del régimen, permanecía, por el reproche a las recientes medidas de excepción financieras y militares, y el 9 brumario –31 de octubre– se desencadenó tal ofensiva parlamentaria para suprimir el préstamo forzoso decretado, que obligó a la reconsideración del mismo. Al mismo tiempo, el rechazo de la propuesta del general Jourdan, el 13 de septiembre, sobre la declaración de *la patria en peligro,* desenmascaró a los pseudojacobinos como Lucien Bonaparte y costó la dimisión del ministro de la Guerra, Bernadotte. Pero el Directorio ya había perdido la confianza del *país legal,* acerca de que fuese capaz de conseguir sus objetivos: consolidar un nuevo orden social que reconciliase las dos riquezas, la de antes de 1789 y la nueva, sobre la base de una República parlamentaria. Su impotencia era el reconocimiento del fracaso del sistema político del Año III, cuyo equilibrio de poderes conducía a su neutralización recíproca. El consenso se reforzó en torno a la corriente revisionista y su gran artífice fue el antiguo profeta del tercer estado y entonces director, Emmanuel Joseph Sieyès.

Él aplicó realmente la divisa termidoriana de que *la política es una ciencia,* una técnica de poder desprovista de los principios abstractos revolucionarios y reducida a conseguir una estructura política autoritaria que pusiera la República bajo el control del Gobierno; que conjugase la soberanía nacional con la existencia de un poder ejecutivo estable y fuerte. El mecanismo de revisión institucional se centraba en la idea de sustituir la *elección* por la *cooptación*, práctica ya seguida parcialmente durante el Directorio y que permitiría hacer frente a los problemas encontrados en las dos Asambleas –de los Ancianos y de los Quinientos– mediante la manipulación del sufragio –sistema de listas para la cooptación– y la división del poder legislativo para que no dominase sobre el ejecutivo.

Era un sistema destinado a la selección de la clase política –los futuros Notables– que debía dirigir el país y la Administración. El sentido que Sieyès daba a la cooptación era el de consagrar el principio de que, puesto que la autoridad derivaba de lo alto de la esfera social, al Gobierno era a quien correspondía escogerla, y no someterla a la elección de quienes debían obedecerla. Pero éstos también tenían que aprobarla y otorgarle su confianza, pudiendo participar en la presentación –no en la designación– de las listas de los candidatos. Quedaba así suprimido el régimen electoral propiamente dicho, pero se preservaba el principio de soberanía nacional. Ante el problema de cómo designar la primera vez a los que debían mandar y escoger, se acordó que serían ellos, los autores del golpe de Estado, los que deberían redactar una nueva Constitución, que conservase bajo la dirección de sus jefes los logros de la Revolución y que permitiese poner fin a la misma. Faltaba conseguir el apoyo económico y militar para llevar a término el complot que hiciera posible este nuevo proyecto político.

Lo primero no fue difícil, ya que detrás de Sieyès estaban todos aquellos a quienes la Revolución había reforzado o proporcionado sus riquezas y que necesitaban un régimen que les permitiese digerirlas. El dinero vino fundamentalmente de los hombres ligados a las compañías financieras de abastecimiento del ejército. Al ganarse a este último tropezaba en un principio con la dificultad de encontrar el general más idóneo para encabezar el golpe. Los de mayores simpatías jacobinas estaban excluidos, aunque había que contar con alguien que gozase de suficiente prestigio no sólo entre los soldados, sino entre la opinión pública y popular. El candidato inicial había sido el general Joubert, pero murió en el campo de batalla, el 15 de agosto de 1799. Cuando Bonaparte regresó en octubre, tuvo una acogida entusiasta en su camino desde Provenza a París y se pensó en él inmediatamente, aunque los revisionistas no le mostraron totalmente, en un principio, el fondo de sus planes.

¿Era Napoleón realmente *el más civil de los generales*? El propio Sieyès, que conocía la ambición de aquél, lo ponía en duda. Entre él y Bonaparte existían pocas simpatías, aunque tenían en común la pasión de imaginar y proyectar nuevos sistemas políticos. Pero ambos estaban forzados a entenderse y hubo acuerdo, aunque sobre bases frágiles: el golpe se haría en el respeto aparente de la legalidad republicana con el respaldo de la fuerza armada, pero no para conseguir la votación de la Constitución de Sieyès, sino para formar un Gobierno provisional. En él estarían ambos, siendo el abate el encargado de elaborar el nuevo texto constitucional. Entretanto, Bonaparte jugaba a mantener la misma postura ambigua que le llevaba a afirmar que él se colocaba *por encima de todos los partidos*.

En términos concretos, el plan se concibió en los primeros días de noviembre de 1799 y estaba basado en la utilización de las autoridades constituidas para luego desbancarlas. Había que conseguir para ello el traslado del cuerpo legislativo de París a Saint-Cloud, bajo

Danton, detalle de una litografía de la *Historia de Europa,* E. Castelar

pretexto de una amenaza *anarquista* de los jacobinos, y proceder inmediatamente a la solicitud de una revisión constitucional. Para facilitar la operación, el Directorio debía dimitir previamente. La Asamblea de los Quinientos –que podría ofrecer más resistencias que el Consejo de Ancianos– sería intimidada por su presidente, Lucien Bonaparte –nombrado el 23 de octubre– y el propio Napoleón acudiría ante el Consejo de Ancianos para jurar su cargo como jefe de todos los ejércitos y de la Guardia Nacional.

Respecto a los otros generales, fueron ganados o neutralizados, como ocurrió con *los jacobinos* Augerau, Bernardotte y Jourdan. Para el golpe de Estado se procedería en dos episodios consecutivos: el 18 brumario –9 de noviembre– se votaría el traslado de las Asambleas, y al día siguiente, 19, se lograría el acuerdo para el cambio institucional.

El golpe de Estado de brumario

En las primeras horas del día 9 de noviembre de 1799, mientras en París se tomaban las disposiciones militares necesarias, se hizo la convocatoria para la reunión del Consejo de Ancianos, excluyendo de la misma a los diputados poco *seguros*. En la misma mañana, Talleyrand conseguía que el director Barras se viera obligado a firmar su dimisión y, como los otros dos directores, Sieyès y Roger-Ducos, estaban de acuerdo en la maniobra, los únicos que quedaban, Gohier y Moulin, no podían actuar como poder ejecutivo.

En la Asamblea de las Tullerías, una vez explicado el supuesto plan *anarquista* para derrocar la representación nacional, Bonaparte se presentó para prestar juramento y obtener la votación a su favor, lo cual era ya un acto ilegal, puesto que su designación como general máximo sólo podía ser hecho por el ejecutivo. Pese a que surgieron protestas, la operación salió bien, al igual que los otros pasos de la misma: los Quinientos fueron informados al mediodía del decreto de traslado a Saint-Cloud, al tiempo que en el palacio de Luxemburgo los directores Gohier y Moulin constataban la presencia intimidadora del general Moreau, y en todo París se repartían panfletos presentando a Napoleón como *el salvador*.

Al día siguiente continuó la trama bien urdida pero mal representada por Bonaparte, poco dado a la práctica parlamentaria, y que se vio enfrentado a los gritos de la oposición tachándolo de *nuevo César, nuevo Cromwell*, y en favor de la Constitución y contra la dictadura, así como el rechazo de los Quinientos. Esta Asamblea prestó por la tarde juramento a la Constitución del Año III e inició la discusión acerca de si ponían a Napoleón *fuera de la ley*, lo que significaba conceder a todo ciudadano el derecho a matarlo. Sieyès y él no sabían qué hacer y el primero le instó a que movilizase a las tropas contra los Quinientos, lo que hizo, obligándoles a dispersarse.

A continuación, el Consejo de Ancianos aprobó la formación de una comisión ejecutiva provisional de tres miembros –Bonaparte, Sieyès y Roger-Ducos– aplazando hasta finales de diciembre el establecimiento del poder legislativo. Pudieron reunir a unos cincuenta diputados de los Quinientos, que ratificaron más tarde el nombramiento de los miembros de la comisión ejecutiva –denominados desde ese momento *cónsules*–. Organizaron luego el cuerpo legislativo con dos comisiones, compuestas respectivamente de 25 miembros de los Ancianos y 25 de los Quinientos, quienes debían discutir con la comisión consular las medidas urgentes a tomar y la elaboración del nuevo texto constitucional.

El triunfo del golpe de Estado militar iniciado el 18 brumario puso fin al proceso revolucionario, aunque la República se mantuviese en la Constitución del año VIII –15 de diciembre de 1799– y hasta la proclamación del Imperio en 1804. Fue Bonaparte y no Sieyès quien se benefició del mecanismo institucional preparado por éste, pero para reconducirlo hacia la dictadura personal, aumentando los poderes del primer cónsul hasta transformarlo en vitalicio. Al 18 brumario siguió un tipo de consenso nacional expresado en forma de referéndum, apoyado en las técnicas de poder que Napoleón utilizó en la línea iniciada por Termidor y el Directorio: se apoyó en la competencia de los expertos y en la operatividad de los órganos administrativos heredados. Pudo así derrotar a la clase política directorial, presentándose no como jefe del partido del Gobierno, sino como el Gobierno de la nación.

Es evidente que estos cambios institucionales que acabaron con las libertades políticas, no hubieran podido aplicarse sin un profundo acuerdo de la burguesía directorial. Napoleón Bonaparte debía alcanzar el equilibrio entre fuerzas opuestas; consolidar la importante obra que el régimen anterior había en gran parte preparado. Y garantizar los logros básicos de una Revolución que había dejado tan honda huella y transformado tan irreversiblemente a la sociedad francesa, que la Restauración de 1814 ya no pudo dar marcha atrás.

Cronología

1787
22 de febrero: Reunión de la Asamblea de Notables.
8 de abril: Destitución de Calonne y nombramiento de Brienne (ministro de Finanzas).
16 de agosto: El Parlamento exige la convocatoria de los Estados Generales.

1788
8 de agosto: Convocatoria de los Estados Generales para el 1 de mayo de 1789.
25 de agosto: Se recurre a Necker para el control general de las finanzas.
23 de septiembre: El Parlamento anuncia la fórmula de 1614 para los Estados Generales.
5 de octubre: Reunión de la segunda Asamblea de Notables.

1789
Marzo: Elecciones para los Estados Generales. Revueltas agrarias en Provenza, Picardía y Cambresis.
27 de abril: Affaire Reveillon.
5 de mayo: Sesión de apertura de los Estados Generales.
17 de junio: Proclamación de la Asamblea Nacional.
9 de julio: La Asamblea Nacional se proclama Constituyente.

11 de julio: Destitución de Necker.

12 de julio: Disturbios y agitaciones ante el Palacio Real.

14 de julio: Toma de La Bastilla.

16 de julio: Se vuelve a llamar a Necker para el Ministerio de Finanzas.

15-30 de julio: Revuelta municipal. Insurrecciones campesinas.

20 de julio: Comienzo del *Gran Miedo*.

4 de agosto: Abolición de los privilegios y cargas feudales de tipo jurídico.

26 de agosto: Votación de la Declaración de Derechos del Hombre y del Ciudadano.

11 de septiembre: Debates sobre el veto real.

5-6 de octubre: Marcha de las mujeres a Versalles. El rey es conducido a París.

2 de noviembre: Los bienes del clero son puestos a disposición de la nación.

14 de diciembre: Creación del *asignado*, garantizado por los bienes nacionales.

1790

2 de febrero: Jacqueries en Quercy, Perigord y Bretaña.

15 de marzo: Decreto sobre el rescate de los derechos feudales sobre la tierra.

Abril: Creación del Club de los *Cordeliers*.

Abril-junio: Agitaciones en el sureste.

12 de junio: Votación de la Constitución civil del clero.

14 de julio: Fiesta de la Federación en París.

18 de agosto: Primera concentración contrarrevolucionaria en el Vivarais.

27 de agosto: El *asignado* se convierte en papel moneda.

27 de junio: Exigencia del juramento civil al clero.

1791

Febrero: Formación del clero constitucional.

2 de marzo: Supresión de las corporaciones.

14 de junio: Votación de la Ley de Chapelier.

20-21 de junio: Huida y detención del rey en Varennes.

16 de julio: Escisión de los *feuillants* del club de los jacobinos.

17 de julio: Tiroteo y represión en el Campo de Marte.

30 de septiembre al 1 de octubre: Separación de la Asamblea Constituyente y reunión de la Legislativa.

9 de noviembre: Decreto contra los emigrados.

29 de noviembre: Decreto contra los refractarios.

12 de diciembre: Primer discurso de Robespierre sobre la Guerra.

1792

Enero: Tumultos parisinos a causa del azúcar y del café.

Febrero-marzo: Tumultos agrarios. Tasaciones en los mercados. Agitaciones contrarrevolucionarias en Lozère.

15 de marzo: Formación del Ministerio girondino.

20 de abril: Declaración de la guerra contra las potencias absolutistas.

27 de mayo: Decreto contra los sacerdotes refractarios.

29 de mayo: Decreto sobre la disolución de la Guardia del rey.

13 de junio: Destitución del Ministerio girondino. Los *feuillants* al poder.

20 de junio: Manifestación popular e invasión del palacio de Las Tullerías.

25 de julio: Manifiesto de Brunswick.

3 de agosto: Las secciones piden la deposición del rey.

10 de agosto: Toma de Las Tullerías y derrocamiento del trono. Convocatoria para una Convención Nacional.

2-6 de septiembre: Matanzas en las cárceles parisinas.

10 de agosto: Se suprime la Monarquía y se convoca la Convención.

17 de agosto: Inicio del primer Terror

2 a 5 de septiembre: Matanzas de septiembre en París y provincias.

20 de septiembre: Victoria de Valmy. Declaración de la Patria en peligro.

22 de septiembre: Se inicia el año I de la República.

6 de noviembre: Victoria francesa en Jemappes contra los austríacos.

1793

21 de enero: Ejecución de Luis XVI.

Febrero: Primera coalición internacional contra Francia.

1 de marzo: Derrotas del general francés Dumouriez.

10 de marzo: Se instituye el Tribunal revolucionario.

19 de marzo: Se inicia la sublevación de La Vendée.

21 de marzo: Creación de los Comités de Vigilancia Revolucionaria.

6 de abril: Creación del Comité de Salud Pública, con 9 miembros.

2 de junio: Triunfo de la insurrección popular contra la Gironda.

6 de junio: Se inicia la rebelión federalista en las provincias.

24 de junio: Votación de la Constitución del año I.

13 de julio: Asesinato de Marat por la girondina Charlotte Corday.

17 de julio: Abolición total del feudalismo.

1 de agosto: La Convención unifica pesos y medidas y adopta el sistema métrico.

5 de septiembre: Se inicia el Terror.

16 de octubre: Ejecución de María Antonieta.

24 de octubre: Adopción del calendario republicano.
31 de octubre: Ejecución de 21 diputados girondinos.
4 de diciembre: Votación de la ley del 14 frimario.
12 de diciembre: Victoria militar sobre La Vendée.
19 de diciembre: Recuperación de Tolón por los anglorrealistas.

1794

4 de febrero: Supresión de la esclavitud en las colonias.
Febrero-marzo: Leyes de ventoso.
24 marzo: Ejecución de Hébert y de los hebertistas.
2-5 de abril: Ejecución de Danton y de los dantonistas.
26 de junio: Victoria francesa de Fleurus.
28 de julio: Ejecución de Robespierre y los robespierristas.
Año II
31 de julio (13 termidor): La Convención renueva los Comités.
Año III
12 de noviembre (22 brumario): Cierre del club jacobino.

1795

20-23 de mayo (1-4 prairial): Últimas jornadas insurreccionales de los *sans-culottes* de París.
22 de agosto (5 fructidor): La Convención adopta la nueva Constitución.
Año IV
1 de octubre (9 vendimiario): Anexión de Bélgica.
5 de octubre (13 vendimiario): Insurrección realista contra la Convención.
31 de octubre (9 brumario): Elección del primer Directorio: Barras, La Révellière, Reubell, Letourneur y Carnot, los cinco regicidas.
Diciembre (frimario): Organización de La Conjuración de los Iguales.

1796

19 de febrero (30 pluvioso): Desaparición de los *asignados*.
2 de marzo (12 ventoso): Napoleón es nombrado jefe de los ejércitos de Italia.

1797

Año V

4 de septiembre (18 fructidor): Primer golpe de Estado del Directorio.

Año VI

17 de octubre (26 vendimiario): Paz de Campoformio entre Francia y Austria.

1798

22 de enero (3 pluvioso): Fundación de la República Bátava.

5 de febrero (17 pluvioso): Fundación de la R. Romana.

8 febrero (20 pluvioso): Fundación de la República helvética.

9 a 18 de abril (20-29 germinal): Elecciones año VI. Auge jacobino.

11 de mayo (22 floreal): Segundo golpe de Estado del Directorio.

Septiembre (fructidor): Segunda coalición contra Francia.

1799

Año VII

27 de abril (8 floreal): Derrota francesa en Milán.

16 de mayo (27 floreal): Sieyès es elegido miembro del Directorio.

18 de junio (30 prairial): Golpe parlamentario de los Consejos contra el Directorio. Auge neojacobino.

28 de junio (10 messidor): Préstamo forzoso sobre los ricos.

6 de agosto (19 termidor): Insurrecciones realistas en el suroeste.

20 de agosto (3 fructidor): Derrotas realistas en el sudoeste.

Año VIII

27 de septiembre (5 vendimiario): Victoria completa de Masséna en Zurich.

6 de octubre (14 vendimiario): Victoria de Bruñe sobre los anglo-rusos.

9 de octubre (17 vendimiario): Napoleón llega a Francia.

27 de octubre (5 brumario): Derrota de los chuanes en el oeste.

1 de noviembre (brumario): Sieyès y Napoleón se entrevistan.

9 a 10 de noviembre (18-19 brumario): Golpe de Estado de Napoleón Bonaparte.

Bibliografía

De la abundante bibliografía sobre la Revolución
Francesa señalamos: Jean-Pierre Bois, *La Revolución
Francesa,* Madrid, Historia-16, 1989, así como los estudios
clásicos de G. Lefebvre, *1789, Revolución Francesa,*
Barcelona, Laia, 1983; y A. Soboul, *Compendio de historia
de la R. F.,* Madrid, Tecnos, 1975, representativa de la
corriente marxista; así como los de N. Hampson, *Historia
social de la R. F.,* Madrid, Alianza, 1984; y J. Godechot, *Las
Revoluciones 1770-99,* Barcelona, Labor, 1981, dentro del
revisionismo liberal; M. Vovelle, *La caída de la Monarquía
1787-92,* Barcelona, Ariel, 1979.
En causas de la Revolución: J. Goechot, Los *orígenes de la
R. F.,* Madrid, Sarpe, 1985; E. Labrousse, *Fluctuaciones
económicas e historia social,* Madrid, Tecnos, 1980; M.
Minerbi, *La crisi dell'antico regime e l'eversione delle
feudalità in Francia 1787-93,* Firenze, La Nuova Italia
editrice, 1979.
Los estudios sobre la problemática campesina tienen un
punto de origen en G. Lefebvre, *El gran pánico de 1789, la
R. F. y los campesinos,* Barcelona, Paidos Studio, 1986.
Sobre el movimiento popular urbano: G. Rudé, *La foule
dans la R. F.,* París, F. Maspero, 1982; R. Cobb, *La
protestation populaire en France,* París, Calman-Levy, 1976;
R. B. Rose, *The Making of the Sans-culottes Democratic ideas
and institutions 1789-92,* Manchester University Press,
1982.

Bibilioteca Básica de Historia
TÍTULOS PUBLICADOS

LOS INCAS

EL RENACIMIENTO

LOS AZTECAS

LOS FENICIOS

LA PALESTINA
DE JESÚS

LOS TEMPLARIOS

FARAONES Y
PIRÁMIDES

MITOS Y RITOS
EN GRECIA

LA GUERRA
CIVIL ESPAÑOLA

LA SEGUNDA
GUERRA MUNDIAL

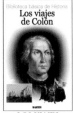

LOS VIAJES
DE COLÓN

DESCUBRIMIENTOS
Y DESCUBRIDORES

NAPOLEÓN

VIDA COTIDIANA EN
LA EDAD MEDIA

CARLOMAGNO

VIDA COTIDIANA
EN ROMA

LOS MAYAS

LA REVOLUCIÓN
FRANCESA

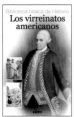

LOS VIRREINATOS
AMERICANOS

LA INQUISICIÓN

Biblioteca básica de Historia

Biblioteca básica de Historia

Biblioteca básica de Historia

Biblioteca básica de Historia

Biblioteca básica de Historia

Biblioteca básica de Historia

Biblioteca básica de Historia